CURANDO AS FERIDAS DA ALMA

SÉRIE
ESTUDOS BÍBLICOS
MULHER de Fé

CURANDO AS FERIDAS DA ALMA

APRESENTADO POR
SHEILA WALSH

TRADUÇÃO DE
MARKUS HEDIGER

THOMAS NELSON
BRASIL®
Rio de Janeiro, 2021

Título original: *Healing From Brokenness*

Copyright © 2008 por Thomas Nelson.
Edição original por Thomas Nelson. Todos os direitos reservados.
Copyright de tradução © Vida Melhor Editora LTDA., 2016.

As citações bíblicas são da *Nova Versão Internacional* (NVI), da Biblica,
Inc., a menos que seja especificada outra versão da Bíblia Sagrada.

Os pontos de vista desta obra são de responsabilidade de seus autores
e colaboradores diretos, não refletindo necessariamente a posição da
Thomas Nelson Brasil, da HarperCollins Christian Publishing ou de
sua equipe editorial.

PUBLISHER	Omar de Souza
EDITORES	Aldo Menezes e Samuel Coto
COORDENAÇÃO DE PRODUÇÃO	Thalita Ramalho
PRODUÇÃO EDITORIAL	Luiz Antonio Werneck Maia
COPIDESQUE	Daniel Borges
REVISÃO	Carlos Otávio Flexa e
	Maria Julia Calsavara
CAPA	Douglas Lucas
DIAGRAMAÇÃO	Julio Fado

CIP-BRASIL. CATALOGAÇÃO NA PUBLICAÇÃO
SINDICATO NACIONAL DOS EDITORES DE LIVROS, RJ

K63e
 Curando as feridas da alma ; tradução Markus Hediger. - 1. ed. - Rio de Janeiro :
Thomas Nelson Brasil, 2016.
 (Série Estudos Bíblicos mulher de Fé)
 Tradução de: Healing from brokeness
 ISBN 9788578608828

1. Cristianismo. 2. Vida cristã. 3. Fé. I. Walsh, Sheila. II. Hediger, Markus.

16-33357   CDD: 248.4

                                   CDU: 27-584

Thomas Nelson Brasil é uma marca licenciada à Vida Melhor Editora LTDA.
Todos os direitos reservados à Vida Melhor Editora LTDA.

Rua da Quitanda, 86, sala 218 – Centro – 20091-005
Rio de Janeiro – RJ – Brasil
Tel.: (21) 3175-1030

www.thomasnelson.com.br

SUMÁRIO

Prefácio 7

Introdução 9

Versículo temático 11

Capítulo 1   Um mundo ferido 13

Capítulo 2   Adotadas por Deus 21

Capítulo 3   Liberdade real 29

Capítulo 4   Sob suas asas 37

Capítulo 5   Assuma a responsabilidade 45

Capítulo 6   Perdoe com ambas as mãos 53

Capítulo 7   Reconciliação verdadeira 61

Capítulo 8   Mesmo quando não é justo 69

Capítulo 9   O poder da alegria 77

Capítulo 10   Alegria no sofrimento 87

Capítulo 11   Cheia de alegria para os outros 97

Capítulo 12   Avançando em direção da linha
de chegada 105

Vamos fazer uma revisão? 113

Resposta às questões dos capítulos 117

PREFÁCIO

Vi como o entrevistador balançou a cabeça. Ele estava lendo mensagens postadas numa tela à sua frente pelo produtor do programa. Em uma ou duas frases, ele era informado sobre as chamadas dos ouvintes e sobre as perguntas que gostariam que ele fizesse ao entrevistado.

— Uma pergunta difícil? — indaguei.

— É pessoal demais — ele respondeu. — A ouvinte quer saber algo sobre o tempo que você passou na psiquiatria.

— Eu adoraria responder à pergunta — eu disse, e ele me passou a ligação.

— É verdade que você passou um mês num hospital psiquiátrico? — a ouvinte perguntou.

— Sim, é verdade — respondi. — Fui internada devido a uma severa depressão clínica.

— Você sentiu como se a sua vida tivesse acabado? — ela perguntou.

— Sim, foi o período mais aterrorizante da minha vida — contei. — Mesmo que, no início, eu sentisse que minha vida tinha acabado, descobri que, por causa do amor e da misericórdia de Deus, na verdade era apenas um novo começo. Encarar a verdade é difícil, mas é também muito libertador.

— Eu venho lutando contra a depressão há dois anos — ela disse —, mas tenho vergonha demais para pedir ajuda. Sinto-me como se estivesse decepcionando Deus.

— Entendo seu sentimento — respondi. — Sentia o mesmo até o momento em que comecei a entender a profundidade da compaixão de Deus. Ele nos ama neste momento, do jeito que somos, e quer que levemos nossas feridas até ele para que ele possa nos curar.

— Quero apenas que a dor vá embora — ela sussurrou.

— Acho que não tenho a força para encarar tudo que aconteceu em meu passado.

— Você não tem. — Eu concordei — Mas você não está sozinha. Como eu entendia o coração dolorido dessa querida irmã. Eu também me encontrara à beira de uma noite escura, com medo de que o próximo passo me levasse para o centro daquela escuridão. Tentei empurrar as memórias doloridas para o canto mais remoto do meu coração e simplesmente continuar com a minha vida. No entanto, o que eu descobri foi que, quando fechamos nosso coração para a dor, nós também o fechamos para o amor e para a luz de Deus.

Não sei qual é a ferida que você está enfrentando ou o que a levou a abrir esse guia de estudos. Mas quero encorajá-la dizendo que você está embarcando numa aventura maravilhosa de graça e liberdade. Não importa quão frágil você se sinta. Deixe-me lembrá-la das palavras do profeta Isaías quando falou sobre o Messias que viria: "Não quebrará o caniço rachado, e não apagará o pavio fumegante. Com fidelidade fará justiça" (Isaías 42:3).

É a minha sincera oração que, quando completar este estudo, você conheça uma liberdade interior que jamais experimentou antes.

Deus a abençoe, minha irmã!

— *Sheila Walsh*

INTRODUÇÃO

Os sacrifícios que agradam a Deus são um espírito quebrantado;
um coração quebrantado e contrito, ó Deus, não desprezarás.

(Salmos 51:17)

Estávamos sentadas na sala quieta e escura, amamentando nossos bebês. Não me lembro de onde estavam nossos maridos e filhos mais velhos; provavelmente, no jardim. Mas lembro-me do rosto dócil de minha amiga, quando me confidenciou: "Sei que você não quer saber dessas coisas, mas você precisa saber. Quando criança, fui molestada, e quero que você me ajude a processar isso."

Ela esperava que eu ficasse chocada ou tivesse repulsa, mas tudo que senti foi uma onda de compaixão, amor e humildade por ela estar disposta a compartilhar comigo não só o lado ensolarado, mas também o lado sombrio da vida.

Talvez nem todas de nós tenhamos que lidar com um evento em nosso passado que seja tão traumático assim. Mas cada uma de nós teve uma experiência que nos deixou ferida, uma experiência que nos abrigou a clamar por ajuda. Talvez tenha sido um divórcio ou a falência financeira, um grave acidente de carro ou a morte de um amigo ou parente próximo, uma doença ameaçadora ou uma luta contra a depressão. Por mais única e singular que sua experiência pessoal com a dor possa ter sido, cada uma de nós teve de enfrentar as mesmas emoções, o mesmo vazio no coração, as mesmas dúvidas. Todas nós passamos por isso.

Mas você sabe por que isso é uma boa notícia? Você está cercada de irmãs que podem compartilhar suas lágrimas e encorajá-la em seu caminho para a cura. Todas nós nos decepcionamos com pessoas, eventos e talvez até com aquilo que Deus permitiu que acontecesse. Mas a despeito das nossas dúvidas, temos um Salvador que entende nosso coração quebrantado e que está orquestrando cada mínimo detalhe da nossa vida. Lembra como Jesus chorou por Jerusalém? Ele disse: "Quantas vezes eu quis reunir os seus filhos, como a galinha reúne os seus pintinhos debaixo das suas asas, mas vocês não quiseram" (Mateus 23:37). Ao começarmos este estudo, estamos dizendo que estamos dispostas a permitir que Jesus nos reúna sob suas asas. Não há refúgio mais seguro, e, do mesmo modo que a galinha que acaba de chocar seus ovos, ele está disposto a morrer para proteger seus pintinhos. O que temos a temer com um defensor como este?

A carta de Judas termina com alguns dos meus versículos preferidos da Bíblia: "Àquele que é poderoso para impedi-los de cair e para apresentá-los diante da sua glória sem mácula e com grande alegria, ao único Deus, nosso Salvador, sejam glória, majestade, poder e autoridade, mediante Jesus Cristo, nosso Senhor, antes de todos os tempos, agora e para todo o sempre!" (Judas 1:24-25). O fato de Jesus poder impedir minha queda e, além disso, apresentar-me sem mácula e com grande alegria me ensina três coisas: não preciso repetir os eventos do meu passado; posso viver sem pecado em relação àqueles eventos; pode haver grande alegria na minha vida.

Voltando a falar da minha amiga que iniciou sua longa jornada para a cura naquele dia remoto, nós passamos aquele outono com algumas outras mulheres, conversando e orando sobre a vida e suas dificuldades. Não resolvemos todos os nossos problemas, mas amamos umas às outras e preservamos esses laços até hoje. Essa é a minha oração para aquelas de vocês que me acompanham neste estudo: que amem umas às outras, que orem juntas e encorajem umas às outras no caminho para uma vida de alegria, pois foi para nos dar tudo isso que Jesus veio para este mundo.

Será que você não sabe?

Nunca ouviu falar?

O SENHOR é o Deus eterno,

o Criador de toda a terra.

Ele não se cansa nem fica exausto,

sua sabedoria é insondável.

Ele fortalece ao cansado

e dá grande vigor ao que está sem forças.

Até os jovens se cansam e ficam exaustos,

e os moços tropeçam e caem;

mas aqueles que esperam no SENHOR

renovam as suas forças.

Voam bem alto como águias;

correm e não ficam exaustos,

andam e não se cansam.

Isaías 40:28-31

CAPÍTULO 1

Um mundo ferido

*Todos pecaram e estão destituídos
da glória de Deus.*

(Romanos 3:23)

Quando ligou no noticiário esta manhã, o que você ouviu? O canal de TV estava transmitindo histórias que a fizeram sentir-se bem, ou você viu também muitas histórias desagradáveis? Não sei se isso vale para você, mas toda vez que eu ligo a TV ouço notícias ruins. As manchetes falam de assassinatos, guerras, políticos corruptos, drogas, assaltos, abusos sexuais... Notícias ruins não faltam. E isso não vale apenas para a TV, os jornais, as entrevistas ou biografias publicadas sobre pessoas que passaram por tempos difíceis. Não precisamos ir longe dentro do nosso próprio círculo de amigos para encontrar alguém cuja vida foi afetada por algo ruim. Talvez isso tenha acontecido com a sua própria vida.

Tirando as ⚐ teias ⚐ de aranha

A verdade é: vivemos num mundo ferido, e todas nós somos produtos de sua depravação. Cada uma de nós não só lidou com as repercussões dos atos ruins de outras pessoas, mas também, se formos sinceras com nós mesmas, vemos que os culpados nem sempre são os outros.

Não precisamos nos esforçar muito para perceber que vivemos num mundo avariado, e todas nós somos produtos de sua depravação. Cada uma de nós não só lidou com as repercussões dos atos ruins de outras pessoas mas, também, se formos sinceras com nós mesmas, vemos que os culpados nem sempre são os outros.

Oprah nasceu de um casal de adolescentes solteiros na pobre região rural de Kosciusko, no Mississippi. Incapazes de a sustentarem, seus pais a entregaram a vários membros da família durante sua infância. Aos nove anos de idade, Oprah sofreu abusos sexuais de vários homens de sua família. Em vez de contar isso para alguém, ela canalizou sua dor e raiva em atos de rebeldia, incluindo uso de drogas e promiscuidade. Aos quatorze anos ela deu à luz um garoto prematuro, que morreu após o nascimento.

Enquanto segurava seu filho morto, Oprah decidiu mudar sua vida. Jurou que faria tudo que pudesse para se libertar do ciclo de pecado e destruição ao qual estivera presa havia tanto tempo. Ela se dedicou aos estudos, venceu o concurso de beleza Miss Black Tennessee e se tornou a primeira apresentadora negra de um noticiário em Nashville, Tennessee. Depois, recebeu seu próprio programa de TV, ganhou Golden Globes e Emmys, lançou sua própria revista, fundou várias organizações de caridade, inclusive uma escola para meninas na África do Sul, e foi nomeada uma das mulheres de maior influência no mundo. Hoje, essa jovem mulher tem um dos nomes mais conhecidos do mundo — Oprah Winfrey.

Oprah influenciou nossa cultura e transformou inúmeras vidas com sua história inspiracional e com sua alma benevolente. Imagine o que teria acontecido se ela tivesse permitido que seu passado — a pobreza, o abuso e suas próprias escolhas ruins — definisse o que ela podia fazer com sua vida! Ela não só teria perdido tudo que Deus planejara para sua vida, mas também muitas pessoas jamais teriam sido transformadas.

UM MUNDO FERIDO

1. Você já conheceu pessoas que permitiram que seu passado ditasse de forma negativa as escolhas que fizeram para seu futuro? Explique.

2. Ao iniciarmos esse estudo, faça uma avaliação de sua vida. Houve um evento em seu passado que dramaticamente influenciou o modo como você interage com o mundo? Você se sente ferida e carente ou restaurada e completa? Você está pronta para descobrir todas as maravilhas que Deus preparou para sua vida?

Todas nós temos um passado, uma história de pecado que danificou nossa vida. A verdade é que, por causa da decisão de Adão e Eva de desafiar Deus, nascemos com uma herança pecaminosa. Todas nós fizemos coisas erradas e todas nós sofremos com os erros cometidos por outros. E nem sempre é fácil superar as repercussões disso. Talvez nossa vida não seja material para uma biografia como a de Oprah, mas não importa se viemos de uma infância de pobreza e abuso ou de privilégio e amor, nós somos pessoas pecadorass que precisam de um Salvador.

Certo dia, uma mulher samaritana foi confrontada com seu passado quando foi pegar água num poço. Enquanto estava enchendo seu vaso, um estranho se dirigiu a ela e lhe pediu um copo d'água. Leia o relato de João dessa interação em João 4:4-38.

3. Imagine essa mulher conversando com o estranho, achando, em vão, que ele não sabia nada sobre suas circunstâncias. Ela não sabia que estava falando com Jesus, que conhece cada detalhe da nossa vida. O que Jesus disse a essa mulher sobre o passado dela? O que ele lhe diria sobre o seu passado, querida leitora?

4. Nos versículos 28-30, o que a mulher diz e faz? Como seus atos revelam que ela finalmente reconheceu Jesus como o Messias?

UM MUNDO FERIDO

5. Ao longo de sua conversa, a mulher insistiu em interpretar literalmente tudo que Jesus dizia, enquanto Jesus tentou ajudá-la a reconhecer o sentido verdadeiro por trás de suas palavras. No espaço abaixo, enumere os significados literais e as traduções espirituais das coisas sobre as quais eles conversaram.

6. Alguma vez você se sentiu tão cega pelas circunstâncias — como a mulher samaritana — que foi incapaz de reconhecer Deus em sua vida? Explique.

Como a mulher samaritana que teve dificuldades de enxergar além de suas circunstâncias e reconhecer Jesus como o Messias, nós também, às vezes, temos dificuldades de ver Deus no meio do nosso mundo danificado, especialmente o Deus cuidadoso e amoroso. Mas a verdade é que Deus nos ama e nos restaura se confiamos nele. A Bíblia está repleta de histórias de redenção. Desde Maria Madalena até Paulo, podemos ver como Deus usa pecadores nas situações mais improváveis para provocar mudanças em suas vidas e nas vidas de outros.

17

7. Você acredita que Deus pode restaurar seu passado danificado e curá-la por inteiro? Existe algo em seu passado que você acredita ser grande demais para que ele consiga lidar com aquilo? Explique.

8. Quando pensa em seu futuro, que tipo de planos acredita que Deus tem para você? Leia Jeremias 29:11. Sempre que você duvidar de seu futuro, lembre-se desse versículo.

Para aprofundar o tema

Em nosso mundo há muita dor e muitas feridas, mas nem sempre isso acontece de forma dramática. Às vezes, uma dor duradoura pode ser causada por algo tão simples quanto um pai que trabalha o tempo todo em vez de passar tempo com seu filho ou por crianças que ficam zombando umas das outras no parquinho. Pense em tudo aquilo que pode ferir e como tudo isso nos remete a Romanos 3:23: "Todos pecaram e estão destituídos da glória de Deus."

UM MUNDO FERIDO

Para ponderar e orar

Invista alguns momentos para contemplar sua vida do ponto de vista de Deus. Você acha que ele gosta da maneira como você se vê? Como você se comporta? O que você espera do seu futuro? Ore com a ajuda de Jeremias 29:11 e peça que Deus lhe ajude a ver a sua vida do ponto de vista dele.

Joias para guardar

No final de cada lição, você receberá um pequeno presente. Apesar de ser apenas imaginário, ele servirá para lembrá-la das coisas que você aprendeu. Imagine isso como um *souvenir*, como aqueles pequenos objetos que compramos ou trazemos de nossas viagens para nos lembrar dos lugares onde estivemos. Esconda essas pequenas joias em seu coração, pois ao contemplá-las, você se aproximará de Deus.

Nosso presente dessa semana é um diário, que nos ajudará a nos lembrar de que devemos registrar o nosso progresso. Após cada lição, escreva algumas palavras que lhe ajudem a lembrar o que você aprendeu e até onde já chegou. Acredite, temos um caminho empolgante a percorrer, e você não vai querer perder isso!

Anotações e pedidos de oração

CAPÍTULO 2

ADOTADAS POR DEUS

Aos que o receberam, aos que creram em seu
nome, [Jesus] deu-lhes o direito de se torna-
rem filhos de Deus, os quais não nasceram
por descendência natural, nem pela vontade
da carne nem pela vontade de algum homem,
mas nasceram de Deus.

(João 1:12-13)

Alguns amigos nossos adotaram um grupo de irmãos da Libéria assolada pela guerra. Abandonadas pela mãe que não podia sustentá-las, essas crianças precisavam de amor, paz e estabilidade — ou seja, essas crianças precisavam de um lar.

"Como está indo?", perguntei à minha amiga algumas semanas após receber as crianças.

"Margie, eu mesma poderia ter dado à luz essas crianças. Elas se encaixam em nossa família como se sempre tivessem feito parte dela", ela respondeu. Então, sorriu mansamente ao lembrar algumas das adaptações pelas quais tiveram que passar e continuou sobriamente: "As pessoas agem

TIRANDO AS
✈ TEIAS ✈
DE ARANHA

A verdade é que ele ama cada uma de nós individualmente, independentemente daquilo que fizemos ou daquilo que aconteceu conosco. Ele criou você e voluntariamente a comprou por meio da morte de Jesus, e ele quer ver seu rosto na nossa reunião de família no céu, juntamente com o restante de seus filhos adotivos.

como se tivéssemos feito algo maravilhoso ou sacrificial ao adotar essas crianças, mas não é bem assim. Nós que fomos abençoados. Deus nos deu essas crianças, e elas têm sido um presente maravilhoso."

A despeito da tentativa de minimizar seus atos, minha amiga havia feito algo extraordinário. Ela encontrou três crianças que jamais haviam experimentado amor, tirou-as de seu mundo danificado e jurou amá-las incondicionalmente. Ela não precisava ter feito isso. Mas ela quis. E foi abençoada por isso.

Deus quer adotar cada uma de nós, tirando-nos do nosso passado danificado e cobrindo-nos com amor e liberdade. A adoção ocupa o centro do coração de Deus, porque ele sabe que cada uma de nós precisa ser adotada por ele, mesmo quando sentimos que não o merecemos. Não importa quão boa ou ruim a família da nossa infância tenha sido, nós somos todas como aquelas crianças da Libéria, cuja mãe não conseguia sustentá-las. Falta algo que precisa ser fornecido. Cada ser humano nasce com a necessidade de conhecer e compreender a Deus; e como crianças pequenas, precisamos ser criados, educados e instruídos a como nos encaixar na família de Deus.

Porém, por mais que esse seja nosso desejo, isso não acontece automaticamente. Jesus explicou que nascer de novo significa primeiro crer nele. Ele diz: "Deus tanto amou o mundo que deu o seu Filho Unigênito, para que todo o que nele crer não pereça, mas tenha a vida eterna" (João 3:16).

Esse versículo tão famoso e amado contém dois pontos muito importantes: Deus deu seu Filho por nós, para que possamos nascer de novo, porque Deus quer que isso aconteça; e Deus nos ama. Não é que Deus ame a todo o resto do mundo. Ele simplesmente teve que nos aceitar juntamente com o resto. A verdade é que ele ama a cada um de nós individualmente, independentemente daquilo que fizemos ou daquilo que aconteceu conosco.

Ele criou você e voluntariamente a comprou por meio da morte de Jesus, e ele quer ver seu rosto na nossa reunião de família no céu, juntamente com o restante de seus filhos adotivos. Mas primeiro você precisa acreditar nele como em seu Pai.

1. Você conhece alguém que foi adotado ou que adotou uma criança? Como foi sua experiência? E em que sentido essa experiência se parece com aquilo que Deus faz por nós?

2. Mesmo que Deus queira adotar cada uma de nós, o primeiro passo é nossa responsabilidade. Você já deu esse primeiro passo para se tornar filha de Deus? Em caso negativo, o que a está impedindo de fazê-lo? Em caso positivo, como tem sido essa experiência para você?

Leia Efésios 1:3-8. Essa passagem tem tradicionalmente sido rotulada como um pouco controversa em vista das perguntas que ela levanta em relação à predestinação, mas tente ignorar essa questão a fim de entender a visão geral daquilo que Paulo está dizendo: "Em amor nos predestinou para sermos adotados como filhos por meio de Jesus Cristo, conforme o bom propósito da sua vontade."

3. Em suas próprias palavras, qual é a "visão geral" daquilo que Paulo diz nessa passagem?

4. Observe o verbo que Paulo usa no versículo 4 —*escolheu*. Como essa palavra ressalta o desejo de Deus de sermos seus filhos?

5. Como o tempo em que ele nos escolheu ressalta os planos que Deus tem para você?

ADOTADAS POR DEUS

Você não é um efeito secundário! Deus a conhece desde antes da criação do mundo e ele se alegra com a ideia de adotá-la como sua filha!

6. Leia Romanos 8:12-16. O que o versículo 14 diz sobre como reconhecer um filho, e uma filha, de Deus?.

Em Efésios 5:13-14, Paulo nos diz que, como filhos e filhas de Deus, fomos marcadas com o Espírito Santo para selar nossa adoção, por assim dizer. Em Romanos 8:15, ele diz que esse mesmo Espírito não nos torna escravos do medo, mas nos permite viver livremente como filhos de Deus.

7. Estamos falando sobre nosso passado danificado. Nesse contexto, qual o efeito que Romanos 8:15 provoca em você? Como isso lhe dá a liberdade de avançar sem medo?

Exploraremos mais a fundo esse conceito de liberdade na próxima lição, mas por ora regozije-se na verdade de que Deus a ama como sua filha, independentemente de onde você veio e daquilo que você fez — e ele a amou assim desde antes da criação do mundo!

Para aprofundar o tema

Leia o salmo 139. Como esse salmo reforça a ideia de que Deus esteve envolvido em nossa vida desde o início? Ao ler as palavras de Davi, é realmente tão difícil acreditar que Deus nos quer como seus filhos? Que ele esteve conosco nos tempos mais claros e mais escuros da nossa vida? Que ele tem um plano para nós?

Para ponderar e orar

Leia 1João 4:7. Medite sobre o que significa "nascer de Deus". Agradeça a Deus por tirá-la de seu passado ferido e por adotá-la como membro de sua família. Se você estiver num grupo, compartilhe seus pensamentos sobre nascer de Deus. Ore, agradecendo ao seu Pai por seu amor e sua misericórdia infinitos.

JOIAS PARA GUARDAR

O objeto desta semana é um lembrete de que todos os que creem em Cristo foram adotados como membros da família de' Deus. Para aplicar isso nesta semana, pense em uma maneira de tocar a vida de um órfão. Você pode se oferecer como voluntária a um orfanato; escrever uma carta;apadrinhar uma criança (existem muitas organizações que oferecem essa possibilidade), ou mesmo adotar uma criança. Não importa o que seja, pense numa maneira de ser uma benção para uma criança que não teve a sorte de ter o amor de uma família.

Anotações e pedidos de oração

CAPÍTULO 3

LIBERDADE REAL

Jesus [disse]: Digo-lhes a verdade: Todo aquele que vive pecando é escravo do pecado. O escravo não tem lugar permanente na família, mas o filho pertence a ela para sempre. Portanto, se o Filho os libertar, vocês de fato serão livres.

(João 8:34-36)

Num dos primeiros dias da primavera de 1984, um jovem homem passou lá em casa para pegar seu bandolim, que meu marido havia consertado. Não veio num momento oportuno. Naquela manhã, meu marido havia chegado do hospital após sua segunda cirurgia por conta de um câncer, e nós ainda estávamos nos adaptando não só aos medicamentos contra dor e aos cuidados necessários, mas também ao impacto cataclísmico que o câncer tem sobre uma família jovem. Mas senti que o Senhor estava me dando um empurrãozinho, por isso, dissemos: "Claro, pode vir." Ele veio em sua bicicleta com uma mochila, e enquanto

TIRANDO AS ⚑ TEIAS ⚑ DE ARANHA

A verdade é que podemos ter um pecado que seja o maior obstáculo para a liberdade, o pecado mais simples que talvez nem tenhamos percebido — e que pode nos levar a pensar que nosso passado não pode ser consertado por Deus.

estava guardando seu instrumento na mochila, ele explicou que havia vendido todas as suas coisas e estava prestes a transpor as montanhas para viver numa região remota onde ele esperava encontrar a liberdade.

"Você quer saber como realmente pode ser livre?", perguntei a ele.

Ele olhou para mim, um tanto surpreso, e disse: "Sim."

Então, contei-lhe sobre Jesus, que morreu na cruz por nossos pecados, que veio para este mundo a fim de nos libertar. Eu disse ao jovem que, se pedirmos que ele nos salve, ele nos liberta para sermos a pessoa que ele nos criou para ser.

Ainda de joelhos na varanda, tentando guardar seu instrumento, Pat pediu que Jesus lhe perdoasse e entrasse em sua vida. Então saiu correndo pelo jardim com sua mochila, e pulando de alegria, gritava: "Estou livre, estou livre!" Sabíamos que, provavelmente, jamais voltaríamos a vê-lo, mas podíamos orar por ele, e nosso Salvador jamais o perderia de vista.

Há algo muito sedutor na liberdade. Ela pode evocar imagens de praias infinitas sob um céu ensolarado, de trilhas nas montanhas, ou de dormir até tarde. De uma forma ou de outra, imaginamos uma vida sem estresse. Mas o tipo de liberdade que Cristo promete é a liberdade dos frutos do pecado.

Uma coisa é entender que Deus nos aceitou, porém, é uma coisa completamente diferente ser liberto por essa descoberta. A verdade é que podemos ter um pecado que seja o maior obstáculo para a liberdade, o pecado mais simples que talvez nem tenhamos percebido — e que pode nos levar a pensar que nosso passado não pode ser consertado por Deus. Sem querer, estamos nos separando do poder de Deus e fechando a porta para a cura.

Quando estamos livres em Cristo, isso significa não ter que ter medo do Dia das Mães porque você teve um aborto em sua juventude. Significa que você pode criar seus filhos como homens santos mesmo se seu marido a abandonou. Significa que você pode olhar para uma garrafa de bebida alcoólica, um maço de cigarros ou até mesmo um prato de biscoitos e saber que aquelas coisas não têm mais poder sobre você. Significa que você pode amar quem não merece amor, porque Cristo amou você primeiro. Significa que você está livre para dar porque não está mais algemada ao passado.

A Bíblia está cheia de pessoas reais que experimentaram as partes mais caóticas e sujas da vida e que descobriram que, em meio à maior confusão, Deus cuidou delas antes mesmo de saberem como clamar por ajuda. A mulher pega no ato de adultério é uma delas.

1. Leia João 8:1-11. Em sua opinião, como a mulher se sentiu nessa passagem? Reflita sobre como você se sentiria no meio de um grupo de acusadores e faça uma lista de emoções que ela possa ter sentido. Contemple sua lista. Alguma vez você já se sentiu assim em relação ao seu próprio passado?

2. Observe a primeira reação de Jesus. Por que ele primeiro deu um passo afastando-se dos acusadores e ajoelhando-se no chão?

3. Qual é a significado do comentário de Jesus para os acusadores?

4. O que Jesus disse à mulher? Sua reação significa que ele achava que o adultério não importava? O que isso nos diz sobre a postura de Jesus em relação à mulher? Em relação ao seu pecado?

5. Mesmo que não haja meio de saber, o que você acha que a mulher fez em seguida?

LIBERDADE REAL

A história da mulher adúltera nos mostra que, por mais sujo que seja o nosso passado, Jesus nos oferece o seu perdão. Na verdade, todo o propósito da vinda de Jesus ao mundo foi nos libertar.

6. Leia João 8:31-36. O que Jesus quis dizer quando falou sobre "ser liberto"?

7. Qual, exatamente, é a verdade que nos liberta? (Sugiro que leia João 1:1-18 e João 3:1-21.)

8. O que significa ser escravo do pecado? Qual é a diferença entre um filho e um escravo?

9. Como você pode agir como uma filha de Deus e não como escrava do pecado? Como isso se manifestaria em sua vida? No espaço abaixo, anote algumas maneiras práticas de como você pode mudar sua vida no dia a dia para que esta reflita seu status de filha de Deus.

Para aprofundar o tema

Aceitar que estamos livres do nosso passado significa que estamos livres também dos julgamentos humanos sobre ele. Assim como a mulher adúltera nós não podemos mais ser responsabilizadas por nossos acusadores, mas apenas por Deus. Leia Gálatas 5:1-15. Reflita sobre o significado de não sermos mais justificadas pela lei, mas de estarmos livres em Cristo. Como isso altera a maneira como você pensa sobre seu passado? Como isso muda a maneira como você vê seu futuro?

LIBERDADE REAL

Para ponderar e orar

Invista alguns minutos para agradecer a Deus por libertá-la de seus pecados do passado. Peça que ele lhe ajude a realmente aceitar sua liberdade e a viver como uma de suas filhas, não como escrava do pecado. Conte a ele todas as áreas em que você ainda se sente presa ao pecado. Talvez você ainda esteja lidando com as repercussões e, por isso, esteja tendo dificuldades de se sentir realmente livre. Ou talvez você se sinta julgada por outros por causa das coisas que aconteceram em seu passado. Peça que Deus lhe ajude a superar essas coisas para que você possa reivindicar a liberdade. Ele morreu para dá-la a você.

Joias para guardar

A joia desta semana é um lembrete de fazer uma avaliação da nossa vida. Quais são algumas maneiras em que ainda agimos como escravas do pecado? Ainda nos sentimos presas aos pecados do passado? Conseguimos reconhecer as repercussões desses pecados em nosso dia a dia? Memorize Gálatas 5:1 e recite o versículo toda vez que se lembrar de seu pecado. Escreva-o e prenda-o ao espelho do seu banheiro para que você o veja sempre que acordar e antes de se deitar para dormir.

Anotações e pedidos de oração

CAPÍTULO 4

Sob suas asas

*Ele o cobrirá com as suas penas, e sob as
suas asas você encontrará refúgio;
a fidelidade dele será o seu escudo protetor.*

(Salmos 91:4)

Você lembra como aprendeu a boiar de costas? O professor de natação dizia: "Relaxe! A água vai sustentá-la." Eu pensava: "Como assim: relaxe? Vou afundar e toda a água entrará pelo meu nariz!" Mas deitei-me de costas, acreditando que uma substância transparente seria capaz de me carregar e que, se meu professor de natação tivesse um pingo de misericórdia, ele me estenderia a mão se eu afundasse.

Aprender a descansar no Senhor é um pouco como aprender a nadar. É útil saber alguns fatos sobre natação e água, mas nada substitui a prática. Como cristãs, muitas vezes obtemos essa prática quando nos encontramos em águas profundas e desconhecidas, pois são essas experiências nas águas profundas da vida que nos obrigam a confiar plenamente no Senhor. Morte;

Tirando as ⚜ teias ⚜ de aranha

A verdade é que, apesar de Deus não ter prometido que teríamos uma vida livre de sofrimentos, ele estará conosco em cada provação que sofrermos.

divórcio; dificuldades na vida dos nossos filhos; traição; relacionamentos rompidos por razões que não entendemos; traumas da infância que nos assombram — tudo isso são eventos que nos tiram da nossa zona de conforto e nos jogam nas incertezas assustadoras que nos levam a questionar a nós mesmas, a nosso Deus e a nossas expectativas daquilo que a vida deveria ser.

Apesar de Deus permitir que passemos por essas experiências em águas profundas, ele sempre fica ao nosso lado. Como o professor de natação que estava pronto para nos segurar caso começássemos a afundar, Deus está ali também, não para acalmar as ondas e as tempestades, mas para guiar-nos no meio delas e para proteger-nos.

Elias experimentou o descanso e a providência do Senhor durante sua fuga da rainha Jezabel, que queria vê-lo morto. Em 1Reis 18, Elias acabara de clamar por fogo dos céus para consumir o sacrifício do Senhor e confundir os profetas de Baal. Havia sido uma derrota espetacular daqueles falsos profetas e uma demonstração triunfante do poder de Deus. No entanto, já no capítulo seguinte, Elias está correndo para salvar sua vida.

Durante sua fuga, sentou-se sob uma árvore e implorou a Deus pela morte. O Senhor não o consolou ou tentou animá-lo. Enviou um anjo com comida. Duas vezes. O anjo disse: "Levante-se e coma, pois a sua viagem será muito longa" (1Reis 19:7).

Essa história é um caso clássico da pergunta: "Por que coisas ruins acontecem a pessoas boas?" Elias acabara de fazer a vontade de Deus derrotando os falsos profetas, mas isso só serviu para intensificar a ira da rainha Jezabel e expô-lo ao risco da morte. Mas justamente quando Elias estava disposto a desistir, o Senhor se manifestou com exatamente aquilo que ele mais precisava — comida e descanso.

É isso que significa descansar no Senhor. Significa permitir que Deus a alimente quando a jornada é dura demais para você vencer sozinha. Significa chegar ao fim dos seus recursos e

SOB SUAS ASAS

perceber que Deus continua do seu lado para ajudá-la a avançar um pouquinho mais. Significa manter seus olhos voltados para ele e confiar que, não importa o que aconteça, ele jamais deixará você afundar nas ondas das águas profundas.

Deus nos prometeu que jamais nos daria mais do que conseguimos suportar (1Coríntios 10:13) e que ele nos ajudaria em tempos de dificuldades (Salmos 46). O salmo 22 começa com gritos de angústia e termina com louvores ao Senhor. Há grande conforto em contar todas as nossas dificuldades a Deus, e há conforto também em lembrar suas promessas de cuidado por nós.

1. Alguma vez você já se viu numa situação em que se sentiu incapaz de continuar? Você tentou falar com Deus sobre isso? Como você se sentiu ao compartilhar seus problemas com alguém que é capaz de resolvê-los?

2. Leia o salmo 23. Qual é a tarefa do pastor? Como esse aspecto do caráter de Deus a leva a confiar ainda mais nele?

3. Levando em consideração suas circunstâncias atuais, o que seriam pastos verdejantes que lhe dariam descanso? O que restauraria sua alma?

4. O que o cajado e a vara do Senhor representam para você?

5. Qual é a sua promessa favorita dos dois últimos versículos do Salmo 23? Por que elas têm um valor especial para você?

SOB SUAS ASAS

Deus não só nos oferece consolo, ele também nos protege de nossos inimigos. O salmo 91 nos fala sobre os cuidados atentos de Deus.

6. Leia esse salmo. O que significa residir nos lugares secretos do Altíssimo? Como isso seria em sua vida?

7. Alguma vez você já se sentiu não só incapaz de enfrentar seus problemas, mas chegou também a ter medo deles? Como essa passagem a encoraja?

41

8. Esse salmo está repleto de palavras encorajadoras e promessas maravilhosas. Qual é o versículo que mais chama a sua atenção, e por quê? Anote-o num cartão e leve-o consigo durante toda a semana.

Quando você estiver ansiosa e cansada, louve a Deus por tudo que você conseguir imaginar. Comece com sua própria salvação e com o desejo de Cristo de ser seu Salvador. Assim, você se lembrará da misericórdia que Cristo tem tido para com você e que Deus sempre teve um plano para sua vida. Ele pode gerar alegria e vitória mesmo em meio à dor e à tristeza.

Para aprofundar o tema

O salmo 91 nos diz: "Se você fizer do Altíssimo o seu refúgio, nenhum mal o atingirá, desgraça alguma chegará à sua tenda. Porque a seus anjos ele dará ordens a seu respeito, para que o protejam em todos os seus caminhos" (versículos 9-11). Talvez você tenha sido vítima dos pecados de outros. Talvez isso tenha até contribuído para seu passado danificado. No meio das repercussões do mal em sua vida, esses versículos podem parecer vazios. Como você tem vivenciado o Senhor tomando conta de você durante dificuldades? Como você pode se refugiar nele mesmo sem ter todas as respostas às suas perguntas?

SOB SUAS ASAS

Para ponderar e orar

Em 1Coríntios 10:13, a Bíblia diz que Deus jamais nos dá mais do que podemos suportar. Reflita alguns minutos sobre seu passado e agradeça a Deus por tê-la trazido até onde está hoje. Lembre-se de uma benção que tenha resultado de suas provações e louve-o por isso. Se vocês estiverem num grupo, revezem-se louvando o Senhor pelas coisas mais simples que ele tem feito por vocês nesta semana. Talvez ele lhes tenha ajudado a encontrar as chaves perdidas do carro ou lhes dado um momento de paz num dia corrido. O que quer que seja, lembre-se de que Deus se preocupa até mesmo com os menores problemas de sua vida.

Joias para guardar

A jóia desta semana é um lembrete para que você comece a fazer uma lista dos momentos em que Deus lhe deu descanso e satisfez suas necessidades no meio de problemas. Talvez tenha sido um vizinho que lhe consolou quando um parente seu faleceu, ou um amigo que lhe trouxe biscoitos e um DVD para assistir com você e lhe dar um momento de paz, ou até mesmo apenas um lindo pôr do sol que parecia existir apenas para você. Na medida em que a semana avançar, você se lembrará de mais e mais momentos em que Deus lhe deu um pequeno encorajamento para continuar. Anote-os e veja-os como encorajamento na próxima vez em que as coisas derem errado.

Anotações e pedidos de oração

CAPÍTULO 5

Assuma a responsabilidade

*Não se deixem vencer pelo mal,
mas vençam o mal com o bem.*

(Romanos 12:21)

Alguma vez você já se surpreendeu dizendo algo que soa exatamente igual à sua mãe? Ou alguma vez você já disse ao seu marido que ele age igual ao pai dele? Querendo ou não, todos nós herdamos traços de nossos pais. Alguns são bons; outros, ruins. Alguns são desejáveis; outros, destrutivos.

Mas quantas vezes temos jogado em nossa família a culpa por nossos problemas de adultos? Talvez culpemos o exemplo que nossos pais nos deram com seu descontrole financeiro pelas nossas dívidas crescentes. Talvez tenhamos dificuldades de controlar nossa raiva porque nossos pais sempre gritavam conosco. Ou talvez culpemos os genes que eles nos passaram pelo nosso alcoolismo.

Quaisquer que sejam as circunstâncias, esse joguinho para bem aqui.

Tirando as ⚹ teias ⚹ de aranha

A verdade é que precisamos tomar a decisão consciente de mudar para impedir que repassemos a mesma herança de dor e pecado que recebemos.

Todas nós precisamos assumir a responsabilidade pela situação em que nos encontramos e recusar-nos a continuar a ceder à nossa natureza pecaminosa por causa do nosso passado. E o que é ainda mais importante: precisamos tomar a decisão consciente de mudar para impedir que repassemos a mesma herança de dor e pecado que recebemos.

Deus quer que nós procuremos maneiras de consertar os buracos do nosso passado e que aprendamos a fazer as coisas do jeito dele. Não seremos perfeitas. Não conseguiremos resolver tudo. Mas podemos fazer um começo. E a próxima geração poderá melhorar um pouco mais. Minha amiga Elaine passou por algumas dificuldades com sua mãe. "Tento não passar essas coisas para os meus filhos", ela diz com voz sóbria. E então acrescenta com um sorriso maroto: "Sou capaz de cometer muitos erros por conta própria!"

Libertar-se de um passado danificado — o mesmo passado que queremos jogar fora e nunca mais nos lembrar dele — exige muito trabalho. Se quisermos garantir que não repassaremos essas coisas, precisamos refletir seriamente não só sobre aquilo que aconteceu, mas também sobre como nós reagimos, sobre como poderíamos reagir melhor e sobre se sabemos o que seria uma reação correta.

Veja a história de José e seus irmãos. Ela é, talvez, uma das melhores ilustrações de como substituir um legado de pecado por uma herança de perdão e renovação.

1. Leia Gênesis 37. Por que os irmãos de José tinham ciúmes dele? Como você reagiria se alguém de quem você sente ciúmes lhe dissesse que, um dia, reinaria sobre você?

ASSUMA A RESPONSABILIDADE

2. O que os irmãos de José decidiram fazer com ele? Quais foram as diferentes reações ao desaparecimento de José?

A história de José continua na casa de Potifar e depois na prisão, por ele ter recusado os avanços da esposa de Potifar.

3. Leia Gênesis 39:1-6 e 20-23. José poderia ter desperdiçado seu tempo sentindo pena de si mesmo, desenvolvendo um ódio amargurado contra os egípcios que o compraram ou tramando o assassinato de seus irmãos caso viesse a ter a oportunidade. O que José fez em vez disso? Como o Senhor o abençoou?

Logo o faraó precisou recorrer às habilidades de José de interpretar sonhos e o chamou da prisão. Novamente, o Senhor esteve com José, e este foi capaz de interpretar o sonho do faraó, dizendo-lhe que o país teria sete anos de abundância e sete anos de fome. O faraó ficou tão impressionado com a sabedoria de José que o nomeou segundo chefe em comando responsável pelo reino do Egito.

Quando a fome veio, os irmãos de José viajaram para o Egito a fim de comprar comida para sua família. Quando se ajoelharam na frente de José para pedir comida, José reconheceu seus irmãos — os mesmos que o haviam vendido como escravo tantos anos atrás.

4. Leia Gênesis 46 para ver como José finalmente revelou sua identidade aos seus irmãos. Qual foi a reação dos irmãos quando descobriram que o governador do Egito era o mesmo irmão que eles haviam vendido como escravo? O que José disse para acalmar seus temores?

ASSUMA A RESPONSABILIDADE

5. Em que sentido a reação de José foi igual ou diferente à reação que você teria tido? Como a retrospectiva de José sobre sua situação revela sua convicção de que Deus usa o mal para produzir o bem?

6. Faça uma lista de todas as coisas boas que José fez por seus irmãos.

José retribuiu atos ruins com o bem. Apesar de ter se encontrado numa posição em que poderia ter causado muita dor e sofrimento à sua família, ele decidiu dar-lhes cada bem imaginável em vez de se vingar.

7. Leia Romanos 12:17-20. Em que sentido essa reação parece ser contrária à reação que, normalmente, costumamos ter em relação aos inimigos? E em que sentido ela é eficaz para encerrar o ciclo de pecado em que nos encontramos?

8. Existe alguém em sua vida com quem você precisa viver em paz em vez de alimentar pensamentos de vingança contra essa pessoa? Existe algo que você poderia fazer para alimentar ou vestir seu inimigo, por assim dizer?

No fim das contas, você descobrirá que o pecado custa caro. Não importa se nós fomos atingidas pela conduta pecaminosa de outros ou se foram nossas próprias escolhas que feriram outros e a nós mesmas, a resposta é idêntica. Nosso Senhor quer que estejamos livres das consequências do pecado. Somos, cada uma de nós, "bens danificados" que precisam ser restaurados. Na medida em que somos restauradas, podemos garantir que não repassaremos as consequências da nossa dor — seremos boas mães, bons membros da família e boas amigas; que seremos capazes de enfrentar a vida sem medo, ansiedade, amargura e vergonha.

ASSUMA A RESPONSABILIDADE

Para aprofundar o tema

Sempre temos uma escolha – a escolha entre permitir que Deus transforme nossos corações ou agarrar-nos à maneira como sempre temos feito as coisas. Não temos controle sobre os corações dos outros, mesmo assim podemos amá-los. Leia Romanos 12:9-21. Como a aplicação dessa passagem mudaria seu modo de interagir com outros? Como isso poderia mudar o coração do outro?

Para ponderar e orar

Ore pedindo que você aprenda a amar seus inimigos. Ore por qualquer reconciliação que precisa acontecer. Invista algum tempo nesta semana orando por amigos e parentes, para que eles reconheçam a atitude de seu próprio coração e para que o Senhor lhes mostre se existem áreas em sua vida que precisam mudar.

Joias para guardar

O presente desta semana é um lembrete para estender a mão a alguém em perdão, assim como José fez com seus irmãos. Escreve uma carta a uma pessoa que você tem culpado por seus problemas. Talvez ela tenha merecido sua acusação, talvez não; mas qualquer que seja a situação, escreva uma carta dizendo-lhe que você quer perdoá-la. Se você não se sentir pronta para enviar a carta, guarde-a para mais tarde.

Anotações e pedidos de oração

CAPÍTULO 6

Perdoe com ambas as mãos

Pedro aproximou-se de Jesus e perguntou: "Senhor, quantas vezes deverei perdoar a meu irmão quando ele pecar contra mim? Até sete vezes?" Jesus respondeu: "Eu lhe digo: não até sete, mas até setenta vezes sete."

(Mateus 18:21-22)

Todos, e não importa quem você seja, têm sofrido alguma injustiça em algum momento da vida. Quando isso acontece, surge a pergunta: "*Eu perdoarei? Conseguirei* perdoar?" Reza a lenda que o primeiro-ministro espanhol Ramón Maria Narváez, já no leito da morte, pediu a presença de um padre. "Vossa Excelência perdoou a todos os seus inimigos?", o padre perguntou. "Não preciso perdoar os meus inimigos", Narvaéz respondeu. "Mandei executar todos eles", concluiu. Apesar de, claramente, não ser uma reação muito saudável, ela parece ser bem mais fácil do que descobrir uma maneira de perdoarmos aqueles que nos fizeram mal!

Tirando as ⚜ teias ⚜ de aranha

Apesar de termos recebido o perdão como bênção gratuita e presente não merecido de Deus, o perdão é também o maior desafio da nossa vida: Deus pede que devolvamos esse presente e ofereçamos esse mesmo perdão a outros.

O perdão é, provavelmente, uma das coisas mais difíceis de serem oferecidas pelo ser humano. Apesar de termos recebido o perdão como bênção gratuita e presente não merecido de Deus, o perdão é também o maior desafio da nossa vida: Deus pede que devolvamos esse presente e ofereçamos esse mesmo perdão a outros.

Perdoar a uma pessoa não significa dizer que aquilo que ela fez não importa. Perdoar não significa jogar um cobertor sobre o pecado. Dizer "Eu lhe perdoo" não é simplesmente a resposta a "Sinto muito", como quando você diz: "Tudo bem" quando alguém lhe pergunta: "Como você está?" Perdoar significa dizer: "Você não me deve nada por aquilo que fez." Quando oferecemos o perdão a outros, estamos nos tirando da equação e dizendo-lhes que agora a questão precisará ser resolvida entre eles e Deus. Quando recebemos perdão de Deus, isso significa que ele prometeu purificar-nos e não se lembrar mais dos nossos pecados.

Certa vez, a fundadora da Cruz Vermelha norte-americana, Clara Barton, foi lembrada de uma injustiça que ela sofrera muitos anos atrás. "Você não se lembra?", perguntaram a ela. "Não", Clara respondeu com firmeza. E complementa: "Eu me lembro perfeitamente de ter esquecido aquilo."

Quando Deus não se lembra dos nossos pecados, não se trata desse tipo de esquecimento, mas da decisão de não mais ficar relembrando e mencionando aquilo. "Como o Oriente está longe do Ocidente, assim ele afasta para longe de nós as nossas transgressões" (Salmos 103:12). Da mesma forma, podemos não nos esquecer das coisas que sofremos por meio de outros, mas podemos dizer: "Deus, quero mostrar a essa pessoa o mesmo perdão que tu me mostraste, não importa o que ela tenha feito."

PERDOE COM AMBAS AS MÃOS

1. Quando você era criança, alguma de suas coleguinhas lhe fez alguma coisa que você não quis perdoar? Tem ficado mais fácil ou mais difícil perdoar na medida em que você cresceu?

2. Elementos de seu passado ferido podem ter ocorrido por causa dos atos de outras pessoas. Faça uma lista com as desculpas que você tem usado para não estender o perdão àquelas pessoas.

Quando o Senhor perdoa nossas pecados, ele não diz: "Sem problema, afinal de contas, o que você fez não foi grave."Ele sabe não só quão sério é o nosso pecado, mas também exatamente o quanto (ou não) nós nos arrependemos. E ele sabe também exatamente o quanto ele teve que pagar para poder nos oferecer o seu perdão. Nós, que, desde a primeira infância, aprendemos a gritar "Isso não é justo!" muitas vezes não pensamos no preço que Jesus teve que pagar por tomar sobre si os nossos pecados. Realmente, não foi justo — Jesus não teve pecado algum. Ele assumiu o castigo por nossos pecados e por todos os pecados do mundo, e ele o fez porque sabia que nós jamais seríamos capazes de pagar por eles. Aceitar o perdão do Senhor e oferecer o mesmo perdão aos outros é a chave para a nossa restauração.

3. Leia o relato de Lucas sobre a crucificação de Jesus, em Lucas 23:26-43. Anote cada insulto e crueldade que Lucas documenta nessa passagem.

4. A despeito de todas essas coisas terríveis, qual foi a resposta que Jesus deu aos seus perseguidores?

A crucificação é uma das retratações mais terríveis de crueldade e injustiça em toda a Bíblia, mesmo assim, Jesus ofereceu perdão em meio ao seu sofrimento. Não após ter tempo para processar o que acontecia. Não após buscar aconselhamento ou passar por uma terapia de raiva. Na hora de sua maior agonia, Jesus estava dando um exemplo daquilo que era sua missão na terra: oferecer perdão às pessoas, — até mesmo àquelas que não o merecem.

5. Leia a história do servo sem misericórdia em Mateus 18:23-35. Essa história provoca um eco dentro de você? Quantas vezes nós nos encontramos agindo como esse servo, mesmo tendo aceito o perdão de Deus para nós mesmas?

6. O que você acha da reação do mestre à falta de piedade do servo? Parece dura demais ou perfeitamente adequada?

7. O que você acha que Deus lhe diria neste momento em relação ao grau de perdão que você concede aos outros?

Para aprofundar o tema

Em Mateus 18:35, Jesus diz: "Assim também lhes fará meu Pai celestial [entregar-nos aos torturadores], se cada um de vocês não perdoar de coração a seu irmão." Por que Jesus diria algo assim? O que Jesus diz em Mateus 18:21-22 sobre soltar completamente a ofensa quando perdoamos? E quanto a perdoarmos a nós mesmas? Se fizemos algo a alguém e ele nem existir mais para podermos pedir perdão a ele, como podemos nos reconciliar com aqueles sentimentos e acertar tudo com Deus? E se não pudermos consertar nada porque aquela pessoa não se importa ou nega ter feito algo errado? O que podemos fazer em relação a esses sentimentos?

Para ponderar e orar

Peça a Deus que ele lhe mostre se você está guardando pensamentos sem perdão em seu coração em relação a alguém, mesmo se essa pessoa for você mesma. Separe alguns instantes agora mesmo para orar por essa pessoa e peça a Deus que ele lhe ajude a perdoá-la — de verdade. Ore pedindo que o Senhor lhe dê seu amor por essa pessoa com a qual você teve dificuldades. Ore por outra pessoa que você sabe estar lutando e peça que ele ou ela seja capaz de perdoar e aceitar perdão.

Joias para guardar

O símbolo desta semana é um lembrete para continuar sempre avançando rumo ao perdão por meio da oração. Esta semana, quando você pedir que Deus revele se você estiver guardando mágoas em relação a alguém, ore de forma decisiva por essa situação. Coloque seu despertador para tocar num horário determinado todos os dias — ou use alguma outra forma de incentivador — e ore pela pessoa que você precisa perdoar. Você se surpreenderá com o que Deus é capaz de fazer!

Anotações e pedidos de oração

CAPÍTULO 7

Reconciliação verdadeira

Tudo isso provém de Deus, que nos reconciliou consigo mesmo por meio de Cristo e nos deu o ministério da reconciliação.

(2Coríntios 5:18)

Você é uma pessoa que se irrita facilmente e que gosta de discutir ou é uma pessoa calma, que se envolve numa briga apenas quando outra pessoa a provoca? Não importa que tipo de pessoa você seja — o tipo que evita conflitos ou o tipo que os adora —, é praticamente impossível atravessar a vida sem algum tipo de desentendimento. E como você sabe, sempre que há um desentendimento, há também sentimentos feridos que precisam ser curados, questões que precisam ser resolvidas e relacionamentos que precisam ser restaurados.

Tratar mágoas antigas e restaurar relacionamentos danificados é ainda mais difícil de curar do que uma palavra impensada dita no calor da briga. Você pode ter questões antigas que precisam ser tratadas ou relacionamentos rompidos que precisam ser

Tirando as ⚔ teias ⚔ de aranha

Por que desejaríamos abrir as cicatrizes do passado? Porque um relacionamento curado é onde começam alegria e restauração verdadeiras!

restaurados. Mas como é que você começa a consertar problemas desse tamanho? Na verdade, por que você iria querer mexer em algo que permaneceu intocado durante tanto tempo? Não seria melhor não abrir essas cicatrizes?

Cynthia pensava assim. Sua mãe a havia abandonado e entregue a outra família quando ela estava com cinco anos de idade — um ato que fez com que Cynthia guardasse uma mágoa vitalícia pela mãe. Apesar de ter sido criada por uma família amorosa, ela nunca entendeu por que sua mãe biológica não quisera cuidar dela.

Certo sábado, após Cynthia ter ido para a faculdade, ela recebeu uma visita no quarto de seu dormitório. Era sua mãe. Ela estava procurando a filha, que havia abandonado tanto tempo atrás, para pedir seu perdão. Esse ato de arrependimento tocou Cynthia profundamente e, juntas, começaram a refletir sobre todas as feridas e sobre toda a bagagem que elas traziam consigo por causa daquela decisão antiga. A cura não aconteceu de um dia para o outro, mas ambas trabalharam muito para desenvolver um relacionamento — não mais como mãe e filha, mas como amigas.

Cyntha não só lhe ofereceu perdão, mas decidiu também tentar restaurar seu relacionamento. Graças ao espírito disposto de Cynthia, ela não só se livrou de sua amargura que trazia consigo desde sua infância, mas descobriu também mais alegria do que jamais conhecera até então.

RECONCILIAÇÃO VERDADEIRA

1. Já é bastante difícil oferecer perdão àqueles que a trataram de forma injusta, mas é algo completamente diferente consertar um relacionamento danificado. Exige um esforço muito maior, um diálogo autêntico e tempo. Alguma vez você já teve que reconciliar um relacionamento? Quais eram as circunstâncias, e qual foi o resultado?

2. Pense no seu passado. Você tem ainda algum relacionamento que precise de reconciliação? Numa escala de um a dez, um sendo o mais baixo e dez o mais alto, qual é o seu nível de interesse de reconciliar esse relacionamento? Faça um círculo em volta do seu número na escala abaixo:

1 – 2 – 3 – 4 – 5 – 6 – 7 – 8 – 9 – 10

3. Leia 2Coríntios 5:11-21. O versículo 19 nos oferece uma definição de reconciliação (leia a tradução da *Nova Versão Internacional* para uma descrição mais clara). Quando Cristo nos reconcilia com Deus, o que ele faz? E nós, se quisermos ser como Cristo, o que devemos fazer? Como isso seria em sua vida?

4. O primeiro passo numa reconciliação verdadeira é reconciliar-nos com Deus. Então, devemos ser seus embaixadores propagando as novas da reconciliação e compartilhando-a com outros. Você compartilha regularmente o que Cristo tem feito por você? O que a impede de fazê-lo?

Deus deixou bem claro que quer que nós nos reconciliemos com ele e com nossos irmãos e irmãs em Cristo, mas como podemos fazer isso em termos práticos? Jesus sabia que reconciliação não é algo fácil para nós, que somos pecadores, por isso, ele nos deu um exemplo em sua Palavra daquilo que é uma reconciliação verdadeira.

5. Leia Mateus 18:15-20. Jesus nos apresentou um processo que devemos aplicar quando alguém nos trata de forma injusta. Enumere os passos abaixo.

RECONCILIAÇÃO VERDADEIRA

6. Alguma vez você já lidou com um problema entre você e outra pessoa de forma diferente daquela que Jesus descreveu? Como você lidou com isso? Qual foi o resultado?

7. Leia Efésios 4:25-32. O que essa passagem diz sobre como devemos falar com nosso próximo? O que devemos ter o cuidado de não fazer quando estamos irritados?

8. De que maneiras podemos nos livrar de toda "amargura, indignação e ira, gritaria e calúnia"? Anote algumas no espaço abaixo.

Quando Jesus nos deu essas orientações, não creio que ele tenha querido ser legalista. O que ele quis foi dar-nos um exemplo de um modo adequado de lidar com aqueles que nos tratam de forma injusta. Ele sabe que, se ficássemos entregues ao nosso próprio jeito de resolver as coisas, é muito provável que nós causaríamos mais mal do que bem. Apenas quando adotamos a natureza de Cristo e lidamos com as pessoas como Cristo lidou conosco, somos capazes de não só oferecer perdão, mas também fazer algo pela reconciliação. É em um relacionamento curado onde alegria e restauração verdadeiras começam!

Para aprofundar o tema

Antes de conversarmos com nossos irmãos e irmãs sobre algo que fizeram, precisamos fazer uma avaliação honesta de nossa própria vida. Em Lucas 6:42, Jesus disse: "Como você pode dizer ao seu irmão: 'Irmão, deixe-me tirar o cisco do seu olho', se você mesmo não consegue ver a viga que está em seu próprio olho? Hipócrita, tire primeiro a viga do seu olho, e então você verá claramente para tirar o cisco do olho do seu irmão." Não acuse seu irmão de algo de que você mesma é culpada. Quando você analisa sua vida honestamente, existe algo que você precisa resolver antes de conversar com outra pessoa sobre os erros dela?

RECONCILIAÇÃO VERDADEIRA

Para ponderar e orar

Passe algum tempo pedindo que Deus lhe mostre qualquer situação que você precisa reconciliar. Ore para que Deus lhe dê a sabedoria para se aproximar daquela pessoa, que aquela pessoa tenha um coração amolecido e que ela ouvirá o que você tem a lhe dizer. Ore pedindo um espírito de humildade –não de raiva – quando você se aproximar dela. Ore também para que você tenha a força não só para perdoar àquela pessoa, mas também para que Cristo restaure seu coração a despeito da injustiça sofrida.

Joias para guardar

O símbolo desta semana é um lembrete de que algumas mágoas entre as pessoas são mais profundas do que outras. Assim como um osso fraturado precisa ser reposicionado e engessado, esse tipo de feridas exige mais tempo para curar. O primeiro passo, porém, é o mesmo. Não importa qual seja sua situação ou qual seja a natureza da sua ferida, precisamos tomar um passo pequeno neste instante para iniciar esse processo de cura de um relacionamento rompido. Quando você reflete sobre isso, qual é esse pequeno passo que você tomará nesta semana?

Anotações e pedidos de oração

CAPÍTULO 8

Mesmo quando não é justo

O que o Senhor exige: Pratique a justiça, ame a fidelidade e ande humildemente com o seu Deus.

(Miqueias 6:8)

Quando crianças, tendemos a ter um senso de justiça altamente desenvolvido. Não é "justo" o garoto ao lado receber um pedaço maior do bolo de aniversário do que nós. A primeira reação ao nosso competidor que nos derrota no jogo de pique-pega é: "Ele trapaceou!" Sentimos que, de alguma forma, não é justo que um brutamontes possa nos obrigar a lhe dar o dinheiro do nosso lanche quando ele já tem o seu.

Desde cedo, aprendemos que a vida não é perfeitamente justa. Esse conhecimento aumenta ainda mais na medida em que amadurecemos, e as evidências que podemos citar se tornam mais sérias. Um jogador de futebol da equipe da nossa faculdade é morto durante um atentado. O sócio do nosso marido comete fraude e leva nosso marido — e nossa família — à

Tirando as ⊰ teias ⊱ de aranha

Por mais que queiramos nos revirar em nosso próprio sofrimento, a verdade é que todo mundo passa por isso. O sofrimento é tão antigo quanto o próprio pecado.

69

falência. Um motorista alcoolizado mata nossa amiga quando ela volta para a casa após o ensaio do coro.

É difícil acreditar que esses eventos aparentemente aleatórios foram permitidos por um Deus benevolente. E quando eles afetam nossa vida, perguntamos: "Por que isso aconteceu conosco, Senhor?" Nossos corações clamam por justiça, mesmo quando não há justiça a ser encontrada.

Todas nós temos nossas histórias de sofrimento. O Senhor abençoou meu marido e a mim com seis filhos — quatro para criar e dois para que nós os devolvêssemos para o céu, ainda bebês. Ambos haviam nascido com defeitos não-hereditários, tiveram vidas curtas e preciosas e levaram seus pais a Jesus. Quando nosso terceiro bebê, o segundo a morrer, voltou para o Senhor, eu estava sentada ao pôr-do-sol, balançando nosso filho de três anos. Ao nosso lado estava a cestinha vazia, com um lençol desfeito onde, um dia atrás, um bebê vivo havia descansado.

Minha primeira filha, Lizzie, se aconchegou em meu ombro enquanto falávamos sobre sua irmã morta, sobre o quanto a amávamos e que ela estava segura e bem nos braços de Jesus. Lembrei-me de todas as maneiras em que o Senhor havia sido fiel durante sua vida curta. Jamais clamei sem receber uma resposta dele. Lembro-me de ter pensado: "Mesmo meu bebê tendo morrido, Jesus me basta." E depois: "Se eu conseguir dizer isso uma única vez a uma pessoa, tudo isso valeu a pena.".

MESMO QUANDO NÃO É JUSTO

1. Qual foi o evento mais "injusto" que você já testemunhou ou experimentou? Talvez você o tenha visto apenas no noticiário, ou talvez você mesma tenha sido a vítima. Quais eram as circunstâncias, e quais foram os resultados disso?

2. Algo de bom resultou dessa situação terrível?

Por mais que queiramos nos revirar em nosso próprio sofrimento, a verdade é que todo mundo passa por isso. O sofrimento é tão antigo quanto o próprio pecado. Na verdade, o Antigo Testamento dedica um livro inteiro ao sofrimento de um homem justo.

3. Leia Jó 1:1-22. O que o primeiro versículo desse capítulo nos diz sobre Jó? Em sua opinião, por que Deus permitiria que todas essas coisas acontecessem com alguém que lhe servira com tamanha fidelidade?

4. Faça uma lista de tudo que Satanás fez com Jó nesse capítulo. Compare a reação de Jó à reação que você teria se estivesse nessa mesma situação.

A despeito de seu imenso sofrimento, Jó jamais acusou Deus. Ele questionou Deus. Pediu a misericórdia de Deus. Mas permaneceu um servo fiel durante todo seu sofrimento.

Outros servos têm sacrificado suas vidas para permanecerem fiéis. Após a morte de Jesus, a cidade de Roma se tornou um lugar perigoso para o testemunho de fé dos cristãos. Diante de uma perseguição terrível e injusta, inúmeros santos deram suas vidas para seguir Jesus. Hebreus 11 diz sobre eles:

> Houve mulheres que, pela ressurreição, tiveram de volta os seus mortos. Alguns foram torturados e recusaram ser libertados, para poderem alcançar uma ressurreição superior. Outros enfrentaram zombaria e açoites, outros ainda foram acorrentados e colocados na prisão, apedrejados, serrados ao meio, postos à prova, mortos ao fio da espada. Andaram errantes, vestidos de pele de ovelhas e de cabras, necessitados, afligidos e maltratados. O mundo não era digno deles. Vagaram pelos desertos e montes, pelas cavernas e grutas. Todos estes receberam bom testemunho por meio da fé; no entanto, nenhum deles recebeu o que havia sido prometido. Deus havia planejado algo melhor para nós, para que conosco fossem eles aperfeiçoados. (vv. 35-40)

MESMO QUANDO NÃO É JUSTO

5. Esses santos passaram por sofrimentos que muitas de nós não conseguem nem imaginar – e que, provavelmente nem queiramos imaginar! Avalie onde você se encontra em sua jornada com Cristo. No ponto em que você se encontra agora, você acha que teria sido capaz de fazer o mesmo? Por quê? Ou por que não?

6. Dê uma olhada no versículo 39. Apesar de terem passado por tantas provações, esses santos não receberam o que Deus lhes prometera! Como isso altera sua perspectiva em relação à cronologia que você espera de Deus?

7. O que Jesus diz em Mateus 6:19-20 sobre onde devemos acumular nossas riquezas? O que isso tem a ver com como devemos ver a vida quando coisas injustas nos acontecem?

Não é bom perceber que há outros além de você que também sofreram? E que isso talvez tenha sido o plano de Deus? Joquebede perdeu seu filho três meses após seu nascimento, quando ele foi levado para ser criado por estrangeiros que odiavam o povo de Joquebede. Seu filho era Moisés. A despeito de sua criação, Moisés se tornou um homem humilde, um servo fiel do Deus vivo.

Maria viu seu filho morrer na cruz. Ela se lembrou das palavras do velho Simeão quando ela levou o bebê Jesus para o templo? "Quanto a você, uma espada atravessará a sua alma" (Lucas 2:35). Jesus, o Filho de Deus, sofreu a morte de um criminoso e resgatou o mundo inteiro. Se nosso Deus é capaz de produzir tamanho bem a partir de algo tão mau, será que ele não é capaz de gerar o bem a partir do nosso sofrimento?

Essa é uma das razões pelas quais sofremos. Podemos ser os braços de Jesus para outros e dizer-lhes que ele jamais os abandonará, e eles acreditarão em nós porque nós experimentamos isso.

Para aprofundar o tema

Leia Miqueias 6:8, o versículo citado no início desta lição. Esse versículo realmente torna as coisas mais simples para nós, não é? Tudo o que Deus exige de nós é que caminhemos com ele em humildade. Ele será nosso guia em tempestados, nos desertos, em tempos de abundância. Como esse conceito a ajuda a ver o sofrimento com outros olhos?

Mesmo quando não é justo

Para ponderar e orar

Ore dizendo ao Senhor como você se sente em relação a tudo pelo qual você já passou. Seja totalmente sincera com ele; ele aguentará. Depois peça que Deus lhe ajude a descobrir a veia de ouro em seu sofrimento. Se você já a encontrou, agradeça a ele por sua previdência e sabedoria. Tente até agradecer-lhe pelo sofrimento. Afinal de contas, o sofrimento é uma oportunidade de aprofundar seu relacionamento com ele.

Joias para guardar

"Quando a vida lhe dá limões, faça limonada!" Quantas vezes temos ouvido isso quando estávamos passando por um período difícil? Podemos ter sentido gratidão por suas observações carinhosas ou vontade de responder com um soco, mas isso em nada altera a verdade da afirmação: coisas boas podem resultar de coisas ruins. O símbolo desta semana é um lembrete desse fato. Talvez você queira até fazer um suco fresco de limão (ou comprá-lo no supermercado e fazer de conta que você acaba de espremer os limões). Quando você for bebê-lo, pense em todos os limões azedos, aparentemente inúteis que você usou para criar uma bebida tão doce. Então, pense em como "acrescentar um pouco de açúcar" a uma situação azeda de sua vida.

Anotações e pedidos de oração

CAPÍTULO 9

O PODER DA ALEGRIA

O fruto do Espírito é amor, alegria, paz, paciência, amabilidade, bondade, fidelidade, mansidão e domínio próprio.

(Gálatas 5:22-23)

O que é, exatamente, alegria? Os pastores e os professores da escola dominical falam sobre ela. Você leu sobre ela na Bíblia. Mas, às vezes, isso não parece mais um mito do que algo que realmente poderia ser verdade, um pouco como o Coelhinho da Páscoa ou a Fada do Dente? Afinal de contas, como é que esse sentimento mágico de "tô legal" pode segui-la em cada circunstância, independentemente daquilo que você esteja vivenciando? Todas nós já passamos por situações bastante ruins, e nem sempre nos sentimos tão à vontade com elas! Esse conceito de alegria parece impossível, certo?

Bem, não me agrada ter de lhe dizer isso, mas é impossível conseguirmos realizar esse feito... sozinhas. Por conta própria não há como estar feliz quando seu marido a deixar ou

TIRANDO AS ⚡ TEIAS ⚡ DE ARANHA

A verdade é: se conseguirmos aplicar a alegria generosamente em nossa vida, realmente seremos libertas.

77

dizer "Estou bem" ao ver sua mãe perder a batalha contra o câncer. Sozinhas, nosso passado ferido sempre será exatamente isso: ferido, não-restaurado, e incrivelmente doloroso.

Antes, porém, de você começar a chorar de desespero, deixe-me falar sobre o outro lado da moeda. Deus não nos criou para que ficássemos sozinhas! Ele quer que conversemos com ele, e existe "a alegria plena da [sua] presença" (Salmos 16:11). Aí está ela de novo, a palavra "alegria", e, aparentemente, ela pode ser encontrada na presença de Deus. Mas como isso nos pode ser útil?

Alegria — um senso de bem-estar que transcende as circunstâncias. Se você conseguisse engarrafá-la, seria a melhor coisa desde a invenção do creme antirrugas. Todo mundo iria comprá-la, pois é a coisa que todo mundo quer sem saber como obter. Imagine se você pudesse dizer: "Tudo está bem com o mundo porque Deus está no controle", independentemente daquilo que esteja acontecendo com você. Isso é alegria. E qual é o resultado da alegria? A cura das feridas. Se conseguirmos aplicar a alegria generosamente em nossa vida, realmente seremos libertas.

A alegria não pode ser encontrada numa garrafa ou outra embalagem, mas ela pode ser encontrada em Cristo, esse é o segredo para a restauração completa. A alegria nos dá a capacidade de nos elevarmos acima do passado, de nos contentarmos com o presente e de anteciparmos o futuro.

O PODER DA ALEGRIA

1. Se você conseguisse comprar aquilo que imagina ser o perfeito "creme milagroso" espiritual, o que ele faria por você? Apagaria as lembranças de determinado período da sua vida; lhe ajudaria a tratar melhor o próximo; lhe daria a sensação de ser amada?

2. Você consegue se lembrar de uma época em que a alegria a ajudou a superar algo que lhe aconteceu? Explique.

Felizmente, temos acesso irrestrito ao "creme milagroso" da alegria por meio de Cristo. Na Carta aos Gálatas, Paulo nos conta que a alegria é um dos frutos do Espírito Santo, ou seja, como uma árvore que dá frutos na medida em que cresce, a alegria é um dos frutos produzidos à medida que crescemos em nosso relacionamento com Jesus.

3. Leia Gálatas 5:16-26. Segundo essa passagem, há dois tipos de frutos — os desejos da natureza pecaminosa e os frutos do Espírito. Anote cada tipo de fruto nas duas colunas abaixo. Qual é a diferença entre esses dois tipos de frutos?

Desejos da natureza pecaminosa	Frutos do Espírito

O PODER DA ALEGRIA

4. Sabendo agora quais são os bons frutos, como começamos a produzi-los? O que João 15:1-11 diz sobre isso?

5. O que significa permanecer em Cristo? Numa escala de um a dez, um sendo o mais baixo e dez o mais alto, quão bem você acha estar permanecendo em Cristo neste momento de sua vida? Explique.

1– 2 – 3 – 4 – 5 – 6 – 7 – 8 – 9 – 10

6. No versículo 11, Jesus nos diz que ele disse todas aquelas coisas para que sua alegria estivesse em nós e para que nossa alegria fosse plena. O que essa declaração significa para você?

A chave para uma vida cheia de alegria é permanecer no amor de Deus. Dentro do amor de Deus, somos capazes de assumir uma visão celestial das nossas circunstâncias, sabendo que a vida envolve mais do que aquilo que vemos à primeira vista. Fanny Crosby, por exemplo, era cega desde sua infância. A despeito de sua aflição, ela escreveu centenas de hinos que jamais falam de seus fardos. Seu marido também era cego. Uma história nos conta que, certo dia, alguém foi visitá-los e encontrou o casal rindo e conversando, divertindo-se com sua música. Ambos eram cegos, o papel de parede estava se soltando na sala, a casa era pobre, mas a alegria em suas vidas transcendia suas circunstâncias.

Alegria é uma escolha.

Fanny Crosby decidiu ver suas circunstâncias por meio de uma lente celestial e encontrar alegria em tudo. Como diz Tiago: "Considerem tudo motivo de grande alegria."

7. Leia Tiago 1:2. A palavra "considerem" indica que precisamos fazer a escolha ativa de encontrar alegria em nossas circunstâncias. Quão fácil seria para você considerar tudo como motivo de alegria? Você já tem prática em escolher a alegria ou ainda está acostumada a se concentrar nas coisas negativas? Em sua opinião, qual é a maneira melhor de viver?

O PODER DA ALEGRIA

Sem Cristo, nosso passado está destinado a ser nosso futuro. Continuaremos a alimentar nossa natureza pecaminosa, colhendo conflitos, invejas, ambições egoístas e ira — todos eles aspectos dolorosos e autodestrutivos. Mas se permanecemos em Cristo, não precisamos mais ver a vida da mesma maneira. Produziremos frutos de alegria, paz e amor — as pedras angulares de um passado restaurado e de um futuro esperançoso.

Para aprofundar o tema

Leia Filipenses 4:4-7. Paulo escreveu a Carta aos Filipenses quando estava na prisão; no entanto, teve muito a dizer sobre a alegria. O que isso lhe diz sobre a fonte da alegria? O que significa alegrar-se sempre no Senhor? Como você pode se alegrar sinceramente no Senhor quando sua vida está cheia de tristeza ou confusão? Como a decisão de regozijar-se no Senhor indica que você está vendo suas circunstâncias com uma visão celestial?

Para ponderar e orar

Passe algum tempo refletindo sobre quais frutos do Espírito você gostaria de ver crescendo em sua vida e ore por esse crescimento. Louve o Senhor pelas coisas boas que ele tem feito e alegre-se como Paulo! Ore para que você aprenda a considerar todas as coisas uma grande alegria e que você descubra como é a alegria verdadeira.

Joias para guardar

Quando os corredores se preparam para uma corrida, eles usam um cronômetro para medir o tempo que precisaram até cruzar a linha de chegada. Assim, conseguem avaliar como sua dor e seu esforço durante o treino lhes ajuda a alcançar um tempo melhor. O presente desta semana é um cronômetro para lembrar-nos dessa mesma verdade na vida cotidiana. É olhando para trás e vendo o que já sofremos que conseguiremos dar valor ao que somos no presente. Nesta semana, anote várias coisas ruins que lhe aconteceram ou a alguém que você conhece. Depois disso, anote uma maneira de como você pode considerar cada item uma alegria. Tente fazer disso um exercício regular em sua vida para assim desenvolver um hábito de ver as coisas com alegria.

Anotações e pedidos de oração

CAPÍTULO 10

Alegria no sofrimento

A sua ira só dura um instante, mas o seu favor dura a vida toda; o choro pode persistir uma noite, mas de manhã irrompe a alegria.

(Salmos 30:5)

Ninguém curte uma dor de dentes ou um pé fraturado. Não dizemos: "Oba! Os filhos estão todos com catapora!" Vomitar por causa de uma infecção estomacal não é motivo de celebração. No entanto, todas nós reconhecemos o valor da filosofia que diz: "Os filhos estão doentes, mas não vou me queixar. Vamos ler muitas histórias e ouvir música boa e sobreviver a isso." Não é muito mais fácil cuidar de uma pessoa doente, mas alegre, do que de uma pessoa que se queixa o tempo todo?

Sofrimento faz parte da vida, e alguns momentos são mais dolorosos do que outros. Quando estamos à procura da cura das nossas feridas, precisamos ser sinceras em relação à dor. Mas a boa notícia é que a dor não é o único resultado do sofrimento! Como Romanos 5:3-4 nos diz, devemos nos

Tirando as ⚔ teias ⚔ de aranha

A verdade é: sofrimento e alegria podem andar juntos, pois o sofrimento não é o fim da linha. A alegria é o fim da linha.

alegrarnastribulações, pois "a tribulação produz perseverança; a perseverança, um caráter aprovado; e o caráter aprovado, esperança". Mas como podemos saltar do sofrimento para a esperança e a alegria?

Muitos anos atrás, num dia de janeiro, Rosa, nossa pequena filha, nasceu sem que suas pleuras pulmonares estivessem fechadas. Ela faleceu antes mesmo de termos a chance de conhecê-la. "Não se preocupem", o médico nos disse, "a probabilidade de isso acontecer de novo é uma em 10 mil." Isso era um consolo, mesmo assim, não podíamos levar a garotinha para casa.

No dia seguinte, uma amiga veio para ver o novo bebê. Tive que dizer-lhe que o bebê estava morto. Lá estava ela, com seus dois filhos que haviam trazido desenhos feitos para minha filhinha. Fiquei pensando: "Será que jamais terei outros filhos?"

Recebemos cartas de amigos espalhados pelo mundo. Mulheres da idade da minha avó compartilharam suas perdas. Eu não fazia ideia de que algumas delas também haviam enterrado seus filhos. Isso me tocou profundamente e me aproximou delas. Uma amiga de infância, que fora minha vizinha, compartilhou sabedorias espirituais comigo. Ela me disse que, quando Bradley, seu filho, morreu num acidente de carro no ano anterior, a única coisa que conseguiu preencher o vazio que sentia foi ela ter começado a louvar a Deus por levar Bradley para o céu. Ela disse que, sabendo que Deus o amava, sua obrigação era confiar a Deus a sua morte, assim como ela havia tentado confiar a ele a sua vida. Se eu conseguisse louvar ao Senhor pela morte de Rose, encontraria cura.

Achei que era a coisa mais estúpida que eu já havia ouvido. Eu não estava culpando Deus, mas eu não acreditava que agradecer-lhe pela morte do meu bebê me ajudaria. Mas já que essa mulher era uma antiga amiga da família, decidi dar uma chance ao seu conselho.

"Eu te louvo, Senhor, pela morte de Rose", eu disse. "Não acredito no que estou dizendo, mas estou dizendo." Eu estava tomando um banho, e era um bom momento para refletir e orar enquanto a água quente me envolvia. "Como poderia ser bom que Rose tenha morrido?", perguntei-me. Aos poucos, comecei a vislumbrar um pouco da grandeza e da bondade de Deus. "Eu te louvo, Senhor, por ter levado Rose para o céu." Dessa vez, eu já estava falando com um pouco mais de sinceridade. Quanto mais eu pensava em louvar ao Senhor por ter levado meu bebê, mais comecei a refletir sobre quem Deus realmente é. Descobri que ele realmente dá "uma bela coroa em vez de cinzas, o óleo da alegria em vez de pranto" (Isaías 61:3).

Se conseguirmos dizer com sinceridade que "Conhecer-te, ó Deus, é mais importante do que qualquer outra coisa" quando experimentamos perda e dor; "Eu não te odeio" quando temos todos os motivos para odiar, e "Eu te confio o meu futuro" quando o futuro de repente se apagou, nossas palavras significam muito mais do que quando as dizemos quando tudo está em perfeita ordem. Em momentos em que algumas pessoas se afundam em mágoas e desespero, outras se erguem para serem bons soldados de Jesus. A pergunta que precisamos fazer a nós mesmas é: *Quero entregar isso a Jesus para que ele o use para a sua glória?*

Não escolhemos muitas das coisas que vivenciamos. Algumas coisas nós evitaríamos a qualquer custo. No entanto, há um fio que passa por todas as histórias de pessoas que viveram como cristãos exemplares nas piores das circunstâncias. Elas conseguem dizer: "Nunca mais quero passar por isso, mas eu não mudaria esses dias terríveis por causa das coisas que aprendi sobre o meu Senhor."

Sofrimento e alegria podem andar juntos, pois o sofrimento não é o fim da linha. A alegria é o fim da linha. Se o sofrimento pelo qual passamos nos dá a credibilidade para que os outros acreditem quando falamos sobre Jesus, então esse sofrimento se transforma em joia para o Rei.

1. Alguma vez você já louvou a Deus por uma provação pela qual passou? Você o louvou imediatamente ou você precisou de algum tempo para chegar a esse ponto?

Uma razão pela qual Deus permite que passemos por provações é para que nós sejamos capazes de nos identificar com aqueles que também sofrem. Horatio Spafford escreveu "Sou feliz com Jesus" quando seus filhos se afogaram num naufrágio. Apesar de ter vivido algo terrível, o fruto de seu sofrimento deu consolo a inúmeras pessoas que ouviram essa música.

2. Alguma vez você já pôde usar sua provação para ajudar alguém que estava passando pela mesma coisa? Explique.

ALEGRIA NO SOFRIMENTO

3. Leia Hebreus 2:18. Como você se sente sabendo que Cristo pode nos ajudar em nosso sofrimento porque ele passou por tudo que nós sofremos e sofreremos? Como isso pode servir de exemplo para a maneira como nós devemos reagir a outros?

Na música "Sou feliz com Jesus", Horation não disse: "Estou tão feliz por causa de tudo aquilo que estou sofrendo! Todo esse sofrimento é tão divertido!" Não, ele não podia dizer isso. Mas ele conseguiu dizer: "Se paz a mais doce eu puder desfrutar; se dor a mais forte sofrer, oh, seja o que for, tu me fazes saber que feliz com Jesus sempre sou!"

4. Qual é a diferença entre dizer: "Estou tão feliz" e "Feliz com Jesus sempre sou"?

5. Leia 1Pedro 4:12-16. Por que não devemos ficar surpresas quando passamos por provações? Por que devemos considerá-las uma bênção?

6. Por que essa passagem parece ser contraditória? Quais outros exemplos de "pensamento contraditório" você consegue encontrar na Bíblia? (Para começar, veja o Sermão da Montanha em Mateus 5:1-11.)

Quando contemplamos a vida de um ponto de vista celestial, conseguimos adotar uma nova perspectiva em relação às nossas tribulações. Os planos e a cronologia de Deus não correspondem aos nossos — por mais que o desejássemos —, mas ele promete que nos dará alegria, não importa o que nos aguarda na vida.

7. No último capítulo, lemos Tiago 1:2-3 e falamos sobre a alegria sendo uma escolha. Você consegue considerar tudo uma alegria, mesmo quando enfrenta provações? Alguma vez você já tentou fazer isso? O que aconteceu?

8. Salmos 30:5 nos promete que "o choro pode persistir uma noite, mas de manhã irrompe a alegria". Como essa promessa lhe dá esperança? Alguma vez você já experimentou os resultados dessa promessa?

Para aprofundar o tema

Quais partes do seu passado ferido você rotularia como "provações ferozes"? O que você aprendeu sobre Deus nesses tempos? Você tem sido capaz de compartilhar essas verdades com outros? Nem sempre é fácil separar as joias do seixo quando avaliamos os tempos dolorosos de nossa vida. Nossa perspectiva pode mudar quando crescemos no Senhor. Mas se dermos nossa vida a Jesus — tanto o passado quanto o futuro — ele pode nos mostrar como as mesmas coisas que parecem ter sido as piores da nossa vida, quando entregues a ele, nos dão credibilidade para falar a verdade sobre a salvação, o perdão e o amor de Cristo.

Para ponderar e orar

Em Colossenses 1:9-12, Paulo escreve: "Por essa razão, desde o dia em que o ouvimos, não deixamos de orar por vocês e de pedir que sejam cheios do pleno conhecimento da vontade de Deus, com toda a sabedoria e entendimento espiritual. E isso para que vocês vivam de maneira digna do Senhor e em tudo possam agradá-lo, frutificando em toda boa obra, crescendo no conhecimento de Deus e sendo fortalecidos com todo o poder, de acordo com a força da sua glória, para que tenham toda a perseverança e paciência com alegria, dando graças ao Pai, que nos tornou dignos de participar da herança dos santos no reino da luz."

Faça essa oração por sua família, seu grupo de estudos e/ou por seus amigos. Repita-a durante esta semana, orando por você mesma e pelas pessoas em sua volta.

ALEGRIA NO SOFRIMENTO

Joias para guardar

O símbolo desta semana é um pombo para lembrar-nos da paz que Jesus traz em meio aos piores momentos de sofrimento. Ao refletir sobre essa imagem, procure na internet a letra da música "Sou feliz com Jesus". Lembre-se daquilo que o autor estava passando quando escreveu essa letra. Como você se sente após lê-la? Você se identifica com as palavras? Essa mensagem lhe dá esperança? Por quê? Ou por que não?

ANOTAÇÕES E PEDIDOS DE ORAÇÃO

CAPÍTULO 11

CHEIA DE ALEGRIA PARA OS OUTROS

Somos criação de Deus realizada em Cristo Jesus para fazermos boas obras, as quais Deus preparou de antemão para que nós as praticássemos.

(Efésios 2:10)

Cada uma de nós é única em forma e aparência, tempo e espaço, dons e talentos. Nascemos numa família com determinados traços, heranças e modos de viver. Rebemos muitas experiências únicas, algumas edificantes e outras destrutivas. Gostando disso ou não, essas experiências compõem nosso passado — bom ou ruim — e criaram aquilo que somos hoje.

Tendo o histórico de um passado ferido, pode ter parecido impossível você experimentar alegria novamente. E pode ter parecido ainda mais impossível compartilhar essa alegria com outros. Mas a verdade é: para que possamos receber alegria, precisamos nos concentrar nos outros, não em nós mesmos.

TIRANDO AS ⚘ TEIAS ⚘ DE ARANHA

A verdade é: para que possamos receber alegria, precisamos nos concentrar nos outros, não em nós mesmos.

Minha amiga Diane recebeu o diagnóstico de esclerose múltipla. Durante sua doença, ela aprendeu que jamais conseguiria experimentar alegria novamente se ela mantivesse seu foco em si mesma e em suas circunstâncias. "Eu costumava orar: 'Cura-me, cura-me'", ela confessou, falando de forma hesitante, como era normal para ela agora. "Mas não foi o que ele fez. Então, orei: 'Leva-me, leva-me'", e ele também não fez isso. Finalmente, orei: '"Usa-me.' E ele me ensinou a orar."

Os beneficiários disso foram seus amigos e sua família. "Oro por você todos os dias", ela me disse. Deus a abençoe, eu precisava dessas orações.

Diane demorou para chegar a esse ponto. Ela passou por semanas de luta, seguidas por momentos de consolo e outras lutas. Para ela, não foi mais fácil abrir mão do controle sobre sua vida do que seria para nós. Seus filhos eram novos, ela era bem casada e tinha responsabilidades e atividades normais de qualquer mãe envolvida na igreja e na comunidade. Ela não orou porque não tinha outra coisa para fazer. Ela orou porque entendeu que era a coisa mais importante a fazer, e o Senhor a colocou numa posição em que lhe possibilitava o tempo para fazê-lo. Diane disse que jamais trocaria as coisas que ela agora sabia sobre o Senhor por sua saúde.

As coisas que aprendemos quando enfrentamos nossas dificuldades são ferramentas que podemos usar para nos relacionar com outras pessoas que não têm alegria — assim como nós no passado. Assim como Deus nos consola com seu amor, se nós nos concentrarmos em ajudar aos outros, descobriremos que isso é a maneira mais fácil de esquecer nossos próprios problemas e compartilhar a alegria com as pessoas necessitadas.

Sabemos, pelos relatos do Novo Testamento, que Paulo foi consolado quando outros viram suas necessidades físicas e as satisfizeram. Paulo descreve a generosidade da igreja de Filipo como um "aroma suave". Apesar de ter sofrido provações e necessidades sem se queixar, quando os filipenses cuidaram dele, ele se sentiu extremamente abençoado. Ele lhes disse: "Recebi tudo, e o que tenho é mais que suficiente. Estou amplamente suprido, agora que recebi de Epafrodito os donativos que vocês enviaram. Elas são uma oferta de aroma suave, um sacrifício aceitável e agradável a Deus" (Filipenses 4:18).

Quando damos o fruto do amor a outros, isso é um aroma suave para o Senhor, e nós estamos no caminho para a alegria e liberdade verdadeiras.

1. Descreva um momento em que você fez algo bom para uma pessoa em necessidades. Ajudar aos outros tornou mais fácil desviar sua atenção de seus próprios problemas? Isso lhe deu alegria?

2. Para que Deus poderia estar chamando você neste momento? Faça uma rápida avaliação de suas circunstâncias atuais e, no espaço abaixo, anote algumas possibilidades que lhe vêm à mente.

Deus não precisou criar os humanos. Ele poderia ter existido sozinho no universo, sem a dor evitável que ele sabia que resultaria de dar aos humanos a liberdade de escolha entre o bem e o mal. Mas mesmo sabendo todas as coisas de antemão – a queda da humanidade, a gerações de pessoas que o rejeitariam e a morte de seu Filho para a nossa expiação – Deus decidiu suportar a dor para experimentar também o amor que nós lhe daríamos. Da mesma forma, apesar de termos sido feridos por outros, a alegria que recebemos ao ajudar ao próximo é infinitamente maior do que a segurança de se esconder por trás da nossa dor.

3. Quando pensamos em fazer algo bom, queremos que seja nobre, mas não muito difícil. Quando lemos Lucas 6:27-36, porém, conhecemos outra perspectiva. Alguma vez você já decidiu ajudar alguém, mesmo que não fosse em seu melhor interesse?

4. Como essa passagem quer que você seja uma "pessoa maior"? Em que sentido isso é um sinal de maturidade espiritual quando você consegue fazer o que Jesus ordena nessa passagem?

Cada experiência que você teve na vida define quem você é. Deus sabia exatamente o que você experimentaria quando ele permitiu que você nascesse neste mundo, e por causa disso você tem sido equipada a ajudar outros de forma única.

5. O que Salmos 139:15-16 nos diz sobre o quanto Deus conhecia do nosso futuro antes mesmo de nascermos?

6. Copie Romanos 8:28 no espaço abaixo. Após ler esse versículo, você acredita que Deus pode coordenar seu passado para colocá-la numa posição única para ajudar as pessoas em seu presente? Explique.

7. 2Coríntios 1:3-11 é uma grande passagem de consolo. Reescreva o versículo 4 com suas próprias palavras. Como esse versículo lança uma luz nova sobre como você pode se relacionar com outras pessoas?

Para aprofundar o tema

Efésios 2:10, o versículo citado no início do capítulo, nos diz que Deus preparou boas obras para serem feitas por nós. Você acha que tem conseguido identificar e realizar essas boas obras? Caso contrário, o que tem impedido você de fazê-lo? Caso tenha conseguido, como você se sente quando se concentra em outros em vez de em você mesma? Isso tem aumentado sua alegria?

Para ponderar e orar

Ore para que Deus continue a revelar as obras que ele planejou para você. Ore para que você seja altruísta o bastante para ajudar ao próximo, mesmo quando isso é difícil. Ore para que Deus lhe ajude a usa a dor pela qual você tenha passado para trazer alegria para os outros e, em consequência disso, para si mesma.

JOIAS PARA GUARDAR

O símbolo desta semana a lembrará das oportunidades abundantes de ajudar aos necessitados neste mundo. Isso pode ser um voluntariado num cargo de sua igreja ou uma ajuda na cozinha comunitária ou até mesmo uma viagem missionária para outro continente. Não importa o que você decida fazer, mas lembre-se de que Deus chama cada uma de nós para estender a mão aos outros e compartilhar nossa alegria com as pessoas em necessidades.

Anotações e pedidos de oração

CAPÍTULO 12

AVANÇANDO EM DIREÇÃO DA LINHA DE CHEGADA

Combati o bom combate, terminei a corrida,
guardei a fé.Agora me está reservada a coroa
da justiça, que o Senhor, justo Juiz, me dará
naquele dia; e não somente a mim, mas
também a todos os que amam a sua vinda.

(2Timóteo 4:7-8)

No início da década de 1960, quando eu frequentava o primeiro ano do ensino médio, e as pequenas escolas rurais não tinham programas de esportes para as garotas, algumas de nós começaram a exigir uma equipe de corrida. Nosso professor de educação física acreditava que conseguiria nos desencorajar levando-nos para treinar na trilha dos garotos. Sabíamos que estávamos sendo testadas, mas estávamos determinadas a não desistir. Pela primeira vez, vivenciei aquele fenômeno de "energia renovada", o qual eu só conhecia dos livros. No momento em que eu acreditava que meus pulmões não aguentariam mais, houve um senso de alívio e meu corpo

TIRANDO AS ⚜ TEIAS ⚜ DE ARANHA

Nossa tarefa é esquecer o que passou e avançar em direção da linha de chegada. Não há nada que possamos fazer nesta terra que seja mais importante do que conhecer e amar Jesus como nosso Senhor e Salvador, e este deveria sempre ser nosso foco primário.

encontrou seu ritmo de corrida. Terminamos a trilha em grupo, um tanto orgulhosas e muito felizes. A despeito de todos os nossos esforços, não recebemos a permissão para montar nossa equipe de corrida, mas aprendemos como é importante terminar a corrida que começamos.

A busca pela cura de um passado ferido pode ser longa e terminará completamente apenas quando cruzarmos a linha de chegada e entrarmos no céu. O sofrimento é uma parte normal da corrida, mas aprendemos que haverá também alegria ao longo da corrida. O que importa é termos nossa "energia sempre renovada" e continuar correndo, correndo, correndo!

Paulo teve que superar muitas coisas de seu passado. Para começar, ele era um dos homens que apedrejaram Estêvão até a morte porque ele era cristão. A Bíblia diz que Paulo "expirava ameaças mortais" contra os cristãos, e seu único objetivo era pegar e prender aqueles que adoravam a Jesus. Além de perseguir os cristãos, ele se orgulhava também de sua educação e de sua linhagem genealógica impecável.

Quando foi parado a caminho de Damasco, sua vida inteira mudou de um dia para o outro. Mas mesmo após anos de existência como um dos maiores missionários que o mundo já viu, Paulo ainda afirmava não ter alcançado o que ele queria ser em sua busca pela semelhança de Jesus. Mas ele sabia de uma coisa: "Esquecendo-me das coisas que ficaram para trás e avançando para as que estão adiante, prossigo para o alvo, a fim de ganhar o prêmio do chamado celestial de Deus em Cristo Jesus" (Filipenses 3:13-14).

Nossa tarefa também é esquecer o que passou e avançar em direção da linha de chegada. Não há nada que possamos fazer nesta terra que seja mais importante do que conhecer e amar Jesus como nosso Senhor e Salvador, e este deveria sempre ser nosso foco primário.

AVANÇANDO EM DIREÇÃO DA LINHA DE CHEGADA

1. Você já teve que caminhar ou correr uma grande distância? Você se cansou e quis desistir? Como você conseguiu continuar?

2. Ao passo em que você foi avançando neste estudo, você se tornou melhor em "esquecer as coisas que ficaram para trás"? Explique onde você estava quando começou o estudo e onde você está agora.

3. Você acredita que tem alcançado o "ponto de perfeição" em sua corrida de ser igual a Jesus? Existem alguns fatores que a motivam a continuar, ou você se esgota e se desencoraja facilmente? Dê exemplos desses fatores encorajadores, se você tiver alguns.

Hebreus 12 é um capítulo esplêndido que nos oferece muito encorajamento, especialmente nos dois primeiros versículos:

> Portanto, também nós, uma vez que estamos rodeados por tão grande nuvem de testemunhas, livremo-nos de tudo o que nos atrapalha e do pecado que nos envolve, e corramos com perseverança a corrida que nos é proposta, tendo os olhos fitos em Jesus, autor e consumador da nossa fé. Ele, pela alegria que lhe fora proposta, suportou a cruz, desprezando a vergonha, e assentou-se à direita do trono de Deus.

Essa passagem não é apenas inspiradora e nos faz querer vestir um par de tênis de corrida e pegar a estrada, mas nos diz também que temos uma "grande nuvem de testemunhas" assistindo ao nosso progresso! E não são testemunhas quaisquer: são os santos que viveram antes de nós e que também passaram por grandes dificuldades, como nós. Imagine os grandes como Abraão, Pedro, Jó e João, todos torcendo por nós!

4. Quando você pensa em todos os santos que querem que você vença a sua corrida, você se sente inspirada? Existe um santo em específico que você consegue imaginar observando sua corrida?

5. Se os santos fossem comentar o seu progresso, o que eles diriam sobre como você está realizando sua corrida?

6. Essa "grande nuvem de testemunhas" também pode ser interpretada como nossos colegas — tanto os cristãos quanto aqueles que não conhecem Jesus — que observam como nós estamos vivendo nossa vida. Você está seguindo o exemplo daqueles que a antecederam? Você está estabelecendo um bom exemplo para aqueles que virão depois de você? O que seus colegas diriam sobre o legado que você está deixando?

7. Existe algum peso ou pecado específico que você não consegue deixar para trás? Como isso tem impedido seu progresso? Como sua vida seria diferente se você conseguisse se livrar desse pecado uma vez por todas?

8. Reflita alguns minutos sobre seu progresso ao longo deste estudo e escreva um resumo sucinto no espaço abaixo. Qual foi a lição mais importante que você aprendeu? Qual foi a verdade mais difícil que você teve que encarar? Você está disposta a continuar essa corrida até a linha de chegada?

Para aprofundar o tema

Leia Tiago 1:12. Segundo esse versículo, o que receberemos no final da corrida? O que significa uma coroa da vida? Por que esse é o fato mais motivador que poderíamos ter para ajudar-nos a continuar? Apesar de a corrida ser longa e o fim não estar em vista, lembre-se de que nós podemos correr com alegria, pois uma coroa da vida nos espera na linha de chegada!

Para ponderar e orar

Ore para que Deus continue a lhe dar alegria e que ela se manifeste em sua vida para que o mundo possa ver. Ore por aqueles que você perdoou, peça que Deus esteja com eles, transformando suas vidas a cada dia. Ore pelo seu futuro, para que você continue a no caminho da justiça. Peça perseverança e que Deus lhe dê a motivação para terminar a corrida.

JOIAS PARA GUARDAR

O presente desta semana a lembrará de que nossa jornada pela vida é muitas vezes como uma corrida. Como Paulo diz: "Prossiga para o alvo, a fim de ganhar o prêmio do chamado celestial de Deus" (Filipenses 3:14). Com isso em mente, cogite fazer literalmente uma caminhada ou corrida nesta semana. Informe-se sobre os cinco quilômetros, dez quilômetros ou até mesmo uma meia maratona em sua comunidade. Muitas dessas corridas são realizadas para arrecadar recursos para caridade e para boas causas. E o que é mais importante ainda, esse tipo de atividade lhe ajudará a entender verdadeiramente a referência bíblica a como devemos avançar na vida.

Anotações e pedidos de oração

Vamos fazer uma revisão?

Cada capítulo acrescentou um presente ao seu baú de memórias. Lembremos agora as lições que eles guardam para nós!

1. Diário
Mantenha um registro de seu progresso semanal. Após cada lição, anote algumas palavras que a ajudem a lembrar o que você aprendeu e até onde já chegou.

2. Retrato de família
Todos os que creem em Cristo foram adotados como membros da família de Deus. Tente ser uma bênção para uma criança que pode não ter tido o privilégio de ter o amor de uma família.

3. Espelho
É importante dar uma olhada sincera no espelho de vez em quando para ver se ainda existem áreas que estão presas a pecados do passado.

4. Lista
Essa lista servirá como lembrete de todos os momentos em que Deus nos deu descanso e satisfez nossas necessidades em meio aos nossos problemas. Podemos encontrar encorajamento quando nos lembramos de como Deus tem sido providente para nós.

5. Carta

Precisamos estar sempre estendendo a mão aos outros com perdão. O presente desta semana nos lembra da necessidade de estender a mão a alguém que temos responsabilizado por nossos problemas no passado.

6. Despertador

Precisamos de lembretes ao longo do dia que nos ajudem a orar por aquelas situações em que temas guardado rancor por outra pessoa.

7. Atadura

Algumas feridas entre as pessoas são mais sérias do que outras e podem levar anos para curar. Precisamos tomar passos pequenos para iniciar o processo de cura.

8. Jarro de limonada

Muitas vezes, é difícil aceitar (mas mesmo assim é verdade) que boas coisas resultam de coisas ruins. O símbolo desta semana nos lembrará de que, quando a vida nos der limões, podemos transformá-los em limonada!

9. Cronômetro

Os corredores medem seu tempo durante uma corrida para ver como sua dor e seu esforço geram resultados ao longo do tempo. Nós também podemos contar as coisas boas que resultaram de circunstâncias difíceis ou dolorosas no passado.

10. Pomba
O símbolo da pomba nos lembra da paz. Nesta semana, precisamos nos lembrar de que Jesus nos traz paz e alegria mesmo em tempos difíceis de sofrimento.

11. Globo
No nosso mundo de hoje, as oportunidade de ajudar os necessitados são muitas. Deus chama cada uma de nós para que nós estendamos nossa mão ao outro e compartilhemos a alegria que ele nos deu.

12. Corredor
Nossa jornada pela vida é, muitas vezes, semelhante a uma corrida. Quando avançamos no serviço fiel a Cristo, podemos saber que um dia receberemos nossa recompensa eterna.

Respostas às questões dos capítulos

Foco: a verdade é que vivemos num mundo ferido, e todas nós somos produtos de sua depravação. Cada uma de nós não só lidou com as repercussões dos atos ruins de outras pessoas, mas, se formos sinceras com nósmesmas, vemos que os culpados nem sempre são os outros.

Capítulo 1

1. As respostas podem variar. Isso é uma oportunidade para que seu grupo comece a desenvolver confiança entre seus membros compartilhando histórias de celebridades, pessoas mencionadas no noticiário ou até mesmo amigas (talvez você queira lembrar os membros de seu grupo para não mencionar os nomes de pessoas que o grupo possa conhecer) que tenham feito escolhas ruins por causa das coisas que têm acontecido em seu passado.

2. Lembre-se de que cada membro de seu grupo vem de um passado diferente com diferentes graus de ferimento. Isso pode ser o início de uma jornada muito difícil para uma mulher, enquanto outra teve um passado sem eventos traumáticos, mas mesmo assim procura uma comunidade de mulheres que temem o Senhor para mantê-la no caminho certo. Seja sensível aos níveis de ferimento e nunca force alguém a compartilhar algo. Assegure a todas as mulheres que elas são pecadoras e que nenhuma é melhor do que a outra.

3. Jesus conhecia a verdade sobre a mulher samaritana. Ele lhe disse que ela estava vivendo com um homem que não era seu marido e que ela havia tido cinco maridos antes deste. A

117

despeito desse fato vergonhoso, Jesus decidiu falar com ela e a viu como uma vida que merecia ser remida. Isso nos mostra que não podemos esconder nada de Jesus, pois ele conhece cada um de nossos segredos. Se você sentir que seu grupo ainda não está pronto para compartilhar, permita que a segunda parte da pergunta seja retórica e peça que as mulheres simplesmente reflitam sobre o que Jesus sabe sobre elas.

4. As Escrituras nos dizem que a mulher deixou seu jarro no poço, entrou na cidade e chamou outros para ouvirem as palavras de Jesus. Ela ficou impressionada com sua capacidade de dizer-lhe tudo que ela havia feito, tão impressionada que, a despeito de sua má fama na comunidade, ela estava disposta a se expor ao ridículo e ao desdém para convencer outros de que Jesus era o Messias.

5. Talvez seja uma ajuda fazer um gráfico como este abaixo:

Espiritual	Literal
Jesus disse à mulher que poderia lhe dar água viva.	Ela perguntou como ele poderia lhe dar água viva se ele não tinha nem balde para puxar a água do poço.
Jesus disse à mulher que ela jamais voltaria a ter sede.	Ela queria essa água viva para que não precisasse mais voltar para o poço para pegar água.
Jesus respondeu que viria um tempo em que eles adorariam em espírito e verdade e que o local físico não importaria.	Ela disse a Jesus que os samaritanos e os judeus precisam adorar num local físico

Respostas às questões dos capítulos

6. As respostas podem variar, mas é fácil sermos cegadas pelas circunstâncias e não vermos as coisas boas que Deus quer mostrar-nos. Por exemplo, se um parente próximo morrer, é fácil sermos dominados pela tristeza ao ponto de não vermos como os outros se reúnem para nos consolar. Insista para que as outras mulheres citem exemplos.

7. As respostas podem variar. Isso é uma oportunidade para as mulheres de expressar as percepções de Deus e o que elas acreditam que ele pode fazer.

8. Jeremias 29:11 nos diz: "'Porque sou eu que conheço os planos que tenho para vocês', diz o Senhor, 'planos de fazê-los prosperar e não de lhes causar dano, planos de dar-lhes esperança e um futuro.'" Estas são palavras de grande conforto, pois elas nos garantem que Deus tem planos maravilhosos para cada uma de nós, mesmo se não conseguirmos reconhecê-los no momento. Diga às mulheres de seu grupo de que, independentemente daquilo que tenham passado, Deus pode gerar coisas boas a partir de coisas ruins.

Capítulo 2

Foco: A verdade é que ele ama cada uma de nós como pessoa, independentemente daquilo que fizemos ou daquilo que aconteceu conosco. Ele fez você e voluntariamente pagou por você por meio da morte de Jesus, e ele quer ver seu rosto na nossa reunião de família no céu, juntamente com o restante de seus filhos adotados.

1. As respostas podem variar, dependendo das experiências. As pessoas podem ter tido uma experiência maravilhosa com uma adoção ou ela pode ter sido terrível se não foram adotadas por uma família amorosa. É provável, porém, que as experiências boas tenham resultado em amor, bons relacionamentos e sentimentos de gratidão em relação àqueles que as adotaram. Deus quer adotar cada uma de nós para que ele possa nos amar e cuidar de nós e ajudar a restaurar nosso passado pecaminoso.

2. Isso é uma pergunta delicada que pretende permitir às mulheres que expressem suas histórias de salvação. Se você perceber que um membro de seu grupo não foi salvo, não a obrigue a dizer isso ao grupo. Apenas ore por ela e espere que, até o final do estudo, ela sinta a necessidade de ter Deus em sua vida.

3. Paulo está dizendo que Deus planejou de antemão que cada uma de nós seria adotada por ele! E tem mais: Foram o seu "prazer" e a sua "vontade" que tornaram isso possível. Isso é um versículo muito encorajador, pois não importa como foi o seu passado, Deus mesmo assim escolheu cada uma de nós como sua filha.

4. Escolher é uma palavra muito ativa que indica intenção. Deus intencionalmente fez o esforço extra para escolher-nos como suas próprias filhas.

Respostas às questões dos capítulos

5. Deus não só escolheu cada uma de nós, ele o fez antes da criação do mundo! Tente ilustrar esse ponto perguntando às mulheres com quanto tempo de antecedência elas costumam planejar as coisas. Você pode ter mulheres em seu grupo que compram os presentes de Natal em julho ou mulheres que planejam uma festa no dia do evento. Mas ninguém pode alegar que já planejaram algo antes mesmo da criação do mundo, nem mesmo antes de seu nascimento.

6. Filhos (e filhas!) de Deus são guiados pelo Espírito de Deus. Isso significa que eles tomam decisões que agradam a Deus.

7. As respostas podem ser diferentes para cada pessoa, mas a essência da resposta é que ninguém precisa ter medo de qualquer coisa de seu passado porque nós fomos libertadas por Deus. Não precisamos ter medo das repercussões das escolhas ruins que fizemos, porque Deus está do nosso lado para nos ajudar a lidar com elas. Também não precisamos ter medo das pessoas que nos feriram ou aterrorizaram no passado. Estamos livres para viver!

Capítulo 3

Foco: A verdade é que podemos ter um pecado que aja como maior obstáculo para a liberdade, o pecado mais simples que talvez nem tenhamos percebido — e que pode nos levar a pensar que o nosso passado não pode ser consertado por Deus.

1. As respostas podem incluir as seguintes emoções: vergonha pelo que fez; medo da vida; hostilidade em relação aos seus acusadores; raiva de si mesma e dos outros; incredulidade diante daquilo que está acontecendo com ela e até mesmo pavor daquilo que poderia acontecer em seguida. Oriente as mulheres na reflexão sobre cada uma dessas respostas e quando revelarem se já se sentiram assim.

2. Não existe resposta correta a essa pergunta; tudo é especulação. Mas Jesus pode ter preferido se distanciar dos acusadores arrogantes dando um passo para trás. Ele pode ter escrito na poeira os pecados das pessoas que estavam acusando a mulher para lembrá-los de suas próprias transgressões. Ele pode ter preferido manter uma postura passiva para amenizar a situação explosiva. Existem muitas possibilidades. Explore-as com o grupo.

3. Os fariseus estavam armando uma armadilha para Jesus, tentando levá-lo a dizer que a mulher adúltera não deveria ser apedrejada, o que seria uma contradição direta à lei. Assim, em vez de responder diretamente, Jesus devolveu o ônus da prova aos fariseus. Ele sabia que ninguém seria capaz de dizer que jamais pecou, por mais justos que se considerassem. Jesus estava iniciando um modelo de perdão para substituir o "olho por olho".

4. Quando Jesus viu que não restava ninguém para acusar a mulher, ele disse que ele também não a condenaria. Reflita um pouco e aprecie que a única pessoa que podia afirmar honestamente não

Respostas às questões dos capítulos

ter pecado preferiu perdoar, não condenar. Então ele disse para ela: "Vá e não peque mais." Ressalte para o grupo que Jesus não estava dizendo que o pecado não importava, ele estava oferecendo seu perdão à mulher. Ele sabia que todos pecam, e nenhum pecado é pior do que o outro; tudo que importa é ter um coração penitente e não cometer o mesmo erro duas vezes.

5. Não existe resposta correta para essa pergunta. Talvez ela voltou para sua família. Talvez ela dedicou sua vida para ajudar outros. Talvez ela se tornou uma das seguidoras de Jesus, acompanhando-o de cidade em cidade.

6. Jesus não estava falando sobre a liberdade física, como acreditavam as pessoas. Ele estava falando sobre a libertação espiritual — a libertação dos nossos pecados, dos nossos erros, das consequências daquilo que outros fizeram conosco, dos problemas emocionais, do vício etc. Se somos verdadeiramente seguidoras de Cristo, a única coisa que deveria controlar nossa vida é o Espírito Santo.

7. A verdade que nos liberta é simplesmente o próprio Jesus, o fato de que ele veio ao mundo para morrer por nossos pecados. João 3:16, provavelmente um dos versículos mais conhecidos da Bíblia, o expressa claramente: "Deus tanto amou o mundo que deu o seu Filho Unigênito, para que todo o que nele crer não pereça, mas tenha a vida eterna." Esta é a verdade que, se crermos nela, apagará o nosso passado e nos dará esperança para o futuro.

8. Se você estiver vivendo em pecado, você está servindo ao mestre do pecado, Satanás. O pecado tem um jeitinho de nos emaranhar e de não nos soltar, para que você continue a pecar e permaneça escrava do pecado. Isso é diferente de ser um filho de Deus, pois como filho você está livre para servi-lo porque o ama.

9. As respostas podem variar, mas deveriam incluir exemplos de uma conduta saudável que pode substituir pecados específicos com os quais cada mulher está lidando.

RESPOSTAS ÀS QUESTÕES DOS CAPÍTULOS

Capítulo 4

Foco: A verdade é que Deus prometeu que não nos daria mais do que podemos suportar.

1. As respostas podem variar, mas quase todas nós vivenciamos períodos na nossa vida quando achávamos que não conseguiríamos continuar. Deus está sempre disposto a ouvir e, assim como fez com Elias, ele nos dará exatamente o que precisamos para continuar. Quando lhe contamos nossos problemas, devemos confiar que ele cuidará deles.

2. A tarefa do pastor é, obviamente, cuidar de suas ovelhas. Ovelhas são criaturas estúpidas que, muitas vezes, se metem em encrencas, e o pastor precisa estar sempre vigilante para impedir que elas se machuquem. Muitas vezes, um pastor cuida de centenas de ovelhas ao mesmo tempo, mas reconhece cada uma delas. Ele as alimenta, lhes dá água e mantém os predadores afastados. Deus faz o mesmo por nós, e esse aspecto do seu caráter deve ajudar-nos a confiar nele. Assim como um pastor jamais faria algo para prejudicar suas ovelhas, Deus sempre quer o melhor para nós.

3. As respostas podem variar. Cada pessoa tem outra definição de descanso. Algumas de nós se sentem restauradas pela correria em nossa volta; outras precisam de paz e solidão.

4. As respostas podem variar, mas lembre-se de que a vara e o cajado são duas ferramentas que o pastor usa para manter suas ovelhas no caminho. A vara tem um nó na ponta e pode ser usada para guiar as ovelhas e defendê-las contra os ataques de predadores. E o cajado é uma vara com um gancho na ponta usado para tirar ovelhas de situações precárias. A vara e o cajado de Deus podem servir como consolo porque sabemos que ele os usará para a nossa proteção e impor limites.

5. As respostas podem variar, dependendo da pessoa. Algumas pessoas encontram mais consolo residindo na casa do Senhor, outras apreciam um copo que transborda. Peça que cada mulher explique sua resposta.

6. As respostas podem variar, mas residir no "lugar secreto do Altíssimo" deveria indicar conforto, segurança e o cuidado do nosso Pai amoroso.

7. As respostas podem variar, mas é provável que muitas pessoas tenham vivenciado situações em que seus problemas as levam ao desespero. É fácil sucumbir ao medo, e ele pode assumir muitas formas — medo da morte, medo de alguém que pode machucá-la, medo de encarar um dia sem o antigo vício ou sem uma pessoa que costumava fazer parte da sua vida. Mas esse salmo fala sobre a proteção de Deus e seu cuidado atento. Peça que as mulheres expliquem quando elas sentiram medo e qual versículo específico dessa passagem as conforta.

8. As respostas podem variar.

Respostas às questões dos capítulos

Capítulo 5

Foco: A verdade é que precisamos tomar a decisão consciente de mudar para impedir que repassemos a mesma herança de dor e pecado que nos foi dada.

1. José foi mais favorecido por seu pai do que todos seus irmãos, e ele até recebeu um manto colorido como símbolo desse amor. Além disso, contou aos irmãos que tivera um sonho em que todos eles se curvavam diante dele. Cada um responderia de forma diferente a essa situação, mas reações comuns seriam inveja, fofoca sobre essa pessoa, hostilidade e ódio ou ira.

2. Por causa do ciúme dos irmãos, eles decidiram primeiro matar José e dizer ao pai que um animal selvagem o devorara. Quando Rúbem, um dos irmãos, discordou, eles mudaram de ideia e o lançaram num poço. Sem o conhecimento de Rúbem, os outros irmãos decidiram vender José como escravo aos egípcios. Observe as reações diferentes: a maioria dos irmãos ficou satisfeito com seu lucro; Rúbem rasgou suas roupas e se perguntou o que diria ao pai; e o pai ficou tão triste que se recusou a ser consolado.

3. José assumiu responsabilidade por seus atos, independentemente das circunstâncias pelas quais estava passando. Porque o Senhor estava com ele e ele decidiu agir com justiça, José foi bem-sucedido em todos os seus empreendimentos, em sua responsabilidade por todos os bens de Potifar e em sua obtenção de favor aos olhos dos guardas da prisão.

4. Gênesis 45:3 nos diz que seus irmãos não conseguiram falar porque estavam com medo daquilo que José faria com eles. O versículo 5 mostra a reação de José: "Agora, não se aflijam nem se recriminem por terem me vendido para cá, pois foi para salvar vidas que Deus me enviou adiante de vocês."

5. As respostas podem variar, mas muitas pessoas na posição de José se sentiriam tentadas a se vingar em vez de oferecer perdão. Quando José disse aos irmãos que "foi para salvar vidas que Deus me enviou adiante de vocês", ele demonstrou sua convicção de que Deus gera o bem a partir de situações ruins. Ele poderia ter se concentrado em todas as coisas negativas pelas quais ele havia passado por causa da traição de seus irmãos, mas ele se concentrou naquilo que Deus fez por meio de sua situação.

6. A lista deveria incluir: carroças, provisões para a viagem dos irmãos a fim de trazer o pai para o Egito, roupas novas e trezentos siclos de prata e cinco conjuntos de roupas para Benjamim. José enviou para o seu pai dez jumentos carregados com as melhores coisas que o Egito tinha a oferecer, dez jumentas e comida para a viagem.

7. A primeira reação da nossa natureza pecaminosa é exigir justiça e vingança quando alguém cometeu alguma injustiça contra nós. Mas se tentarmos obter justiça sob nossos próprios termos, acabamos dando continuação ao legado pecaminoso. Se oferecermos perdão, não há "lenha para a fogueira", por assim dizer, e o fogo, metafórico, da raiva, da mágoa e da perseguição, apagará.

8. As respostas podem variar, mas poderiam incluir preparar uma refeição e levá-la até a casa da pessoa juntamente com um cartão que diz que você lhe perdoa, oferecer pegar seus filhos na escola e fazer outras coisas que, no fundo do seu coração, você sabe que Jesus quer que você faça.

Capítulo 6

Foco: Apesar de termos recebido o perdão como bênção gratuita e presente imerecido de Deus, o perdão é também o maior desafio da nossa vida: Deus pede que nós devolvamos esse presente e ofereçamos esse mesmo perdão a outros.

1. As respostas podem variar. Enquanto amadurecemos durante nosso crescimento e temos uma facilidade maior de perdoar, as situações que exigem perdão também tendem a se tornar mais sérias, dificultando o ato de perdoar. Veja o que seu grupo acha disso.

2. As respostas podem variar, mas as desculpas poderiam incluir o nível de ferimento (físico ou emocional) que ocorreu por causa desse ato, as consequências terríveis que isso teve por causa da outra pessoa, ou até mesmo apenas o fato de que aquela pessoa feriu seus sentimentos e você ainda não está pronta para superar aquilo.

3. Eles obrigaram Jesus a carregar uma cruz, e a crucificação era a morte usada para os piores dos criminosos; ele foi crucificado juntamente com outros criminosos; eles repartiram suas roupas lançando a sorte; eles zombaram dele; disseram que ele deveria salvar a si mesmo se realmente fosse o Filho de Deus; como piada, afixaram uma placa sobre sua cabeça que dizia: "Este é o rei dos judeus."

4. Jesus clamou a Deus, pedindo: "Pai, perdoa-lhes, pois não sabem o que fazem" (Lucas 23:34).

Respostas às questões dos capítulos

5. As respostas podem variar. Use alguns minutos para conversar sobre momentos em suas vidas em que vocês eram o servo sem misericórdia, em que vocês se recusaram a perdoar apesar de terem sido perdoadas por Deus, o Pai.

6. Todas nós merecemos o castigo que o servo recebeu de seu mestre, mas Deus, em sua misericórdia, perdoa nossas dívidas. Quando nos recusamos a agir em relação a outros assim como ele agiu conosco, ele revoga sua misericórdia e nos dá o castigo que merecemos.

7. As respostas podem variar.

Capítulo 7

Foco: Por que desejaríamos abrir as cicatrizes do passado? Porque um relacionamento curado é onde começam alegria e restauração verdadeiras!

1. As respostas podem variar.

2. As respostas irão variar, mas peça que seu grupo explique por que escolheram aqueles números e veja se uma das mulheres estaria disposta a explicar sua situação.

3. O versículo 19 nos diz que, por causa de Cristo, Deus não usa os pecados dos homens contra eles — essa é a definição de reconciliação. Já que Cristo nos deu o ministério da reconciliação, também não devemos usar os pecados dos homens contra eles. Isso significa que, quando alguém comete uma injustiça contra nós, temos a responsabilidade de não usá-la contra essa pessoa.

4. As respostas podem variar, mas razões comuns para não falar sobre Jesus incluem vergonha, não querer forçar as pessoas a aceitar algo que elas não querem fazer, não querer parecer uma "fanática religiosa" ou simplesmente não ter tempo.

5. 1) Mostre a ele ou a ela o que ela fez de errado, mas que isso permaneça entre vocês dois (o que significa não fofocar sobre isso na roda de suas amigas e da família!); 2) se ele ou ela não quiser ouvir, leve duas ou três pessoas com você quando confrontar a pessoa; 3) se ele ou ela continuar a ignorá-la, compartilhe seu problema com a igreja (supondo que a pessoa seja membro da sua igreja); 4) se ele ou ela continuar a ignorá-la, abandone-o em seu pecado para que você não seja arrastada por ele ou ela.

Respostas às questões dos capítulos

6. As respostas podem variar, mas maneiras comuns de lidar com situações difíceis são se irritar com a pessoa, fofocar sobre o que essa pessoa fez e descartá-la como amigo ou membro da família sem nem mesmo dar-lhe a chance de se explicar.

7. Precisamos falar de forma autêntica com nosso próximo, ou seja, membros da família, amigos e até mesmo estranhos, o que significa não ser agressivo, não mentir e não fazer fofocas. Quando ficamos irritadas, é fácil perdermos o controle sobre nossos atos e emoções, mas precisamos ter o cuidado de não fazer nada que desagrada a Deus, independentemente do nível da nossa ira.

8. As respostas podem variar, mas poderiam incluir substituir pensamentos negativos por pensamentos positivos, fazer terapia de raiva (dependendo do nível da raiva que você sente), tentar ver o ato injusto do ponto de vista do malfeitor etc.

Capítulo 8

Foco: Por mais que queiramos nos revirar em nosso próprio sofrimento, a verdade é que todo mundo passa por isso. O sofrimento é tão antigo quanto o próprio pecado.

1. As respostas irão variar. Alguns exemplos poderiam ser uma mulher que perde seu filho porque uma pessoa estava dirigindo alcoolizada, uma criança que sofre abusos por seus pais ou um assassino culpado que não é condenado por falta de provas.

2. As respostas podem variar.

3. O primeiro versículo do livro de Jó nos diz que ele era "homem íntegro e justo; temia a Deus e evitava o mal". Mesmo não sabendo por que Deus permitiu que as coisas ruins continuassem a acontecer com Jó, o livro de Jó nos diz que Deus sabia que ele conseguiria lidar com aquilo e queria provar a Satanás que seu servo permaneceria fiel. Provavelmente, queria também que Jó dependesse apenas da força de Deus, não de sua própria riqueza e vida feliz.

4. Inimigos mataram todo seu gado e todos os seus servos, fogo consumiu suas ovelhas e seus outros servos, outros inimigos roubaram todos os seus camelos e mataram seus servos e um forte vento derrubou a casa de seu filho mais velho e matou todos os filhos de Jó e suas famílias. Em todo esse tormento (e olha que isso ainda não foi tudo, continue lendo o livro de Jó para ver o que mais lhe aconteceu), Jó nunca pecou ou culpou

Respostas às questões dos capítulos

Deus. Peça às mulheres em seu grupo que elas lhe deem exemplos específicos de como elas reagiriam se perdessem toda a sua família, suas economias e seu sustento.

5. As respostas podem variar.

6. As respostas podem variar, mas o objetivo da pergunta é ajudar as pessoas a perceber que a cronologia de Deus é diferente da nossa, e Deus não nos promete que teremos uma vida sem dor.

7. Devemos acumular tesouros no céu, não na terra, pois os tesouros celestiais são eternos, e as coisas neste planeta são passageiras. Quando coisas injustas acontecem conosco, precisamos lembrar que estamos aqui apenas por pouco tempo, e que precisamos manter nossos olhos no objetivo do céu.

Capítulo 9

Foco: A verdade é que se conseguirmos aplicar a alegria generosamente em nossa vida, realmente seremos libertadas.

1. As respostas podem variar, mas divirtam-se com essa pergunta! Imaginem ser capazes de ir até a farmácia ou o salão de beleza e comprar um produto que as transforma automaticamente em cristãs melhores. O que você queria que esse produto fosse capaz de fazer especificamente?

2. As respostas podem variar.

3. Desejos da natureza pecaminosa: imoralidade sexual; impureza; zombaria; idolatria; feitiçaria; ódio; discórdia; inveja; ataques de raiva; ambições egoístas; dissensões; facções; ciúme; embriaguez e orgias. Frutos do Espírito: amor; alegria; paz; paciência; gentileza; bondade; fidelidade; mansidão; domínio próprio.

4. Para que possamos produzir frutos, precisamos permanecer em Cristo, o que significa segui-lo, agir como ele agiria e estudar seus caminhos. Nada podemos fazer por conta própria. Precisamos permanecer ligadas à força que nos alimenta.

5. Permanecer significa "estar ligado na tomada" de Cristo, estudando sua Palavra, orando e passando tempo conversando com ele.

Respostas às questões dos capítulos

6. Cristo nos diz isso para mostrar-nos como podemos receber alegria. Se permanecermos em Cristo e obedecermos aos seus mandamentos, seu amor e sua alegria estarão conosco. E a alegria aumentará em nossa vida como um fruto do Espírito.

7. As respostas podem variar.

Capítulo 10

Foco: A verdade é que sofrimento e alegria podem andar juntos, pois o sofrimento não é o fim da linha. A alegria é o fim da linha.

1. As respostas podem variar, mas muitas pessoas têm dificuldades de louvar a Deus em meio a circunstâncias difíceis. Peça às mulheres do seu grupo que elas expliquem suas emoções durante essas circunstâncias.

2. As respostas podem variar, mas as respostas dos membros de seu grupo podem incluir convidar para o almoço alguém que está vivenciando um período difícil, aconselhar mulheres que desejam crescer espiritualmente e até mesmo trabalhar como voluntária numa clínica de atendimento a mulheres onde podem compartilhar suas experiências.

3. As respostas podem variar, mas esse versículo deveria consolar as mulheres quando perceberem que Cristo passou pelos mesmos sofrimentos e que, por causa disso, ele entende nossa dor e nos ajuda. Da mesma forma devemos usar nossas experiências para nos identificar com outras pessoas e ajudá-las.

4. Felicidade é situacional e indica emoções em alta; a felicidade, porém, pode vir e ir dentro de instantes. Não é um estado permanente. No entanto, se você estiver fundamentada em Jesus, você pode dizer: "Feliz com Jesus sempre sou!", independentemente da situação em que você se encontra. É algo que diz respeito à alma, não à emoção.

Respostas às questões dos capítulos

5. Não devemos ficar surpresas, pois fomos chamadas para seguir a Cristo, e se ele sofreu, nós também sofreremos. Mas também participaremos de sua glória quando chegarmos ao céu.

6. Essa passagem é contrária à natureza humana, pois ela nos diz que aqueles que são insultados são verdadeiramente abençoados, e aqueles que sofrem devem louvar a Deus. Isso é semelhante ao Sermão da Montanha, em que Jesus ensina as Bem-aventuranças: bem-aventurados os que são pobres de espírito, pois eles herdarão o Reino de Deus; bem-aventurados os que choram, pois eles serão consolados; bem-aventurados os mansos, pois eles herdarão a terra etc. Os ensinamentos de Jesus invertem a maneira como vemos o mundo e nos oferecem um padrão completamente diferente para a nossa vida.

7. As respostas podem variar. Considerar tudo alegria significa considerar tudo pelo que passamos como motivo de alegria. Ajude seu grupo a descobrir se seus membros fazem isso com regularidade.

8. As respostas podem variar.

Capítulo 11

Foco: A verdade é: para que possamos receber alegria, precisamos nos concentrar nos outros, não em nós mesmas.

1. As respostas podem variar.

2. As respostas podem variar, mas peça que as mulheres de seu grupo pensem em diferentes pessoas em sua vida. Alguma delas está passando por necessidades? Peça que elas pensem nas diferentes coisas em que estão envolvidas. Alguma dessas situações oferece a oportunidade de edificar e servir a outros? Se as mulheres do seu grupo não conhecerem ninguém que precise de ajuda ou nenhuma oportunidade de se envolver, desafie-as a procurar uma oportunidade desse tipo.

3. As respostas podem variar, mas essa passagem nos diz que Cristo espera que nós ajudemos não só aos amigos, mas também aos inimigos. Devemos amá-los, ajudá-los e dar a eles sem esperar algo em troca.

4. Visto que somos cristãs e o Espírito Santo reside em nós, devemos ser capazes de nos elevar acima de nossos sentimentos pessoais e agir como Cristo agiria — em outras palavras: deveríamos ser capazes de ser uma pessoa maior. O que Jesus pede de nós nessa passagem não é fácil e é contrário à nossa natureza, mas ser capaz de amar aqueles que não nos amam é um sinal de maturidade espiritual.

Respostas às questões dos capítulos

5. Essa passagem nos diz que Deus planejou de antemão cada dia que vivenciaríamos, e ele sabia tudo antes mesmo de nascermos! Cada uma de nós tem um dom específico que ele quer que nós usemos para os seus propósitos.

6. As respostas podem variar, mas o objetivo da pergunta é revelar que Deus usa tudo para o nosso bem — nosso passado, nosso presente e nosso futuro — e que ele coordena cada detalhe.

7. Deus nos consola para que nós possamos oferecer a outros o mesmo conforto que nós recebemos dele. Deus quer que seu amor, seu conforto e sua bondade sejam um ciclo eterno. Ele quer que aquilo que ele nos dá flua diretamente para a vida das pessoas ao nosso redor.

Capítulo 12

Foco: Nossa tarefa é esquecer o que passou e avançar em direção à linha de chegada. Não há nada que possamos fazer na terra que seja mais importante do que conhecer e amar a Jesus como nosso Senhor e Salvador, e este deveria sempre ser nosso foco primário.

1. As respostas podem variar, mas divirtam-se compartilhando suas experiências de exercícios umas com as outras.

2. As respostas podem variar, mas compartilhe seu progresso com o grupo para que cada uma se sinta à vontade para compartilhar com as outras.

3. As respostas podem variar, mas alguns fatores motivadores podem incluir membros da família ou amigos que ajudam em seu crescimento espiritual (como esse pequeno grupo de estudos), conselheiros que lhe ajudaram a atravessar tempos difíceis, seus filhos que dependem de você, etc.

4. As respostas podem variar, mas pensar nos mesmos cristãos que caminharam com Jesus e escreveram sua Palavra Sagrada e em outras figuras bíblicas que se preocupam com nossa jornada espiritual deveria nos inspirar. Mas as respostas podem incluir também parentes que já faleceram, amigos e outros cristãos respeitados.

Respostas às questões dos capítulos

5. As respostas podem variar, mas peça que cada mulher faça uma avaliação sincera.

6. As respostas podem variar. Você pode até pedir que as mulheres formem grupos de dois e compartilhem suas avaliações uma com a outra, um pouco como um comentarista esportivo. Mas lembre que cada mulher deve buscar a grandeza para que ela possa deixar o melhor legado possível — um legado que faça jus ao nosso Salvador.

7. As respostas podem variar, mas sejam sinceras umas com as outras. Encoragem umas às outras quando compartilharem seus fardos específicos.

8. As respostas podem variar.

Este livro foi impresso no Rio de Janeiro, em 2021,
pela BMF, para a Thomas Nelson Brasil.
A fonte usada no miolo é Cochin, corpo 10/12.
O papel do miolo é pólen soft 80g/m², e o da capa é
cartão 250g/m².